JN119399

日々を彩る
信仰エッセー
38話

心のおもちゃ箱

平野知三

はじめに

本のタイトルを、「心のおもちゃ箱」としました。

身近な譬え話や、古今東西の物語、哲学者の名言もたっぷり載せ、まるでおもちゃ箱をひっくり返したような、とっ散らかった内容になりました。「あんな見方もあるのかぁ」「こんな考え方もあるなぁ」と、思いを巡らす材料をいっぱい取り上げ、自分自身の心の滋養にしたかったからです。

私自身は天理教の教祖――「おやさま」とお呼びしてます――をお慕いし、その教えが大好きです。そのため自然な流れとして、教祖(おやさま)の教えが本文の軸になっています。

教祖が説かれるところは、大らかで簡潔、陽気ぐらしをしたいと望む人なら誰にも当てはまります。

ですので、天理教についてご存じない方も、また宗教にあまり縁がないと思っておられる方にも、きっと様々な発見があり、お楽しみいただけるはずだと、期待しています。

人との出会いも不思議ですが、言葉との出合いも、不思議です。その時そんな心境だったからこそ、その言葉が胸に飛び込んできた、という経験が私にはいくつもあります。ある人のあるひと言に心救われたことは数知れず。

気軽にお読みいただき、言の葉一枚でも心に残り、小さな明かりを灯すことになったら、これに勝る喜びはありません。

では、くどくどしい前口上はこれくらいにして、「日々を彩る信仰エッセー38話」の、さあ始まり、始まりです。

平野 知三

2020年5月8日

第2章

人間関係

第3章

心

第4章
人生

第5章
逆境

第6章 祈り

表紙装画・本文カット　榎森彰子

序　章

信仰の扉

1 神様って本当にいるの？

中学時代、友人との会話です。

「お前、神様っていると思う？」

「そりゃ、いるだろ」

「ぼくはいないと思う」

「えっ」

「神が人間を創ったのでなく、人間が神を作ったんだ」

「えええっ！」

突然の宣言に、ショック。私は懸命に反論しますが、弁の立つ友人に敵いません。

私は教会で生まれ、両親も親戚もみんな天理教。だから、宗教といっても、空気のように当たり前にそこにあるもので、疑いもしなかったのです。宗教とは天理教のことであり、神様とは親神様のことでした。

教会の先生の答え

私は早速、教会の先生に尋ねました。

「神様って、本当にいるんですか？」

「もちろん！　おられるに決まっておる」と、即答です。

「でも、どうして、おられるって分かるんですか？」

「あ、どうしてって言っても……、それは、ええーっと……、あ、そうそう、おふでさきだよ！　おふでさきにちゃーんと書いてある」

先生は、あわてて答えます。でも私は腑に落ちません。

「おふでさきに書いてあれば、なぜ証明になるのですか？」

「それは、おふでさきが神様の言葉だからだよ」と、今度は先生も、自信たっぷり。

「でも、おふでさきって、本当に神様の言葉かなぁ？　証拠があるんですか？」

「証拠？　うっ、それは、うーん……。おふでさきにそう書いてある……」

議論はまた振り出しに。

「神様がおられるかどうか」を証明するのに、「おられる」ことが前提のおふでさきを根拠にするなんて、論証ではありません。そもそもおふでさき自体、おられもしない神様の名を、誰かが騙ったものかもしれないし……。

そう言うと、先生は、「屁理屈を言うな。わしゃ、神様にいてもらわんと困る！」と、怒ってどこかへ行ってしまいました。

「これは、ますます怪しい」と、不信感が募ります。

だいたい信仰者にそんな質問をしても、的を射た答えが返ってくるのは、まれ。信仰を受け入れた人は、一旦受け入れると、「私は信じる」と言って口を閉ざします。神様がおられることは自明で、改めて説明の要はなく、またできるものでもないのでしょう。

しかし未信の者にとっては荒唐無稽で、どうしてそんなことが信じられるのか、不可解です。

世に神様肯定派は多数、否定派も多勢。もし神が存在するなら、否定派は間違い。神が不在なら、肯定派が間違い。理屈上、双方は両立しません。両者は別世界の住人で、その溝は埋まらないとため息が出ます。

で、問題は、自分がどっちにつくか、です。

確かにおさづけで楽になったことは幾度も。でもそれは、神様のお陰なのか、たまたま治る時だったのか。もし、見ている前で、腕がニョキニョキとはえてきたり、死んだ人がガバッと生き返れば、留保なく信じます。しかし不幸にして、そんな場面を見たことは皆無。

フランスの思想家パスカルは言います。

「もし自然の中に神のみ姿を示すものが何も見えないなら、私は否定の側につくだろう。もし創造者の徴がどこにでも見えるなら、安らかに信仰に落ち着くだろう。しかし否定するにはあまりに多く、確信するにはあまりにも少ないので、私は哀れな状態にいる。自然が神に支えられているなら、そのみ姿をありありと表わしてくれればいいのに。それが偽りならば、すっかりそんな徴は消えればいいのに」

パスカルに、共感しました。

もし、神様がおられなかったら……

いない神様をいるかのように錯覚し、必死で祈っているなんて。神殿のお社も中は空洞で、おつとめもおさづけも意味がない？　じゃぁ、教祖は……？「えらいこっちゃ！」と、身震いしました。

教会に生まれながらその信仰を信じられないのは惨め。とはいえ、「家がそうだから一応形だけ」と、お茶を濁すのも不本意。周りの人が当然のように信じているのが不思議でした。「なぜ信じられないのか」と、自分を責めました。

本当は、神様にいてほしかったのです。

第一、神様がいてくれた方が、好都合。絶体絶命の危機でも、呼べばスーパーマンのように飛んできて、たちどころに救出してくれる神様。心強いこと、この上ありません。しかしその仮定には、無理があるように思いました。

もし神様がおられるなら、なぜこんな酷(ひど)いことが起こるのでしょう。事故や災害で簡単に人が死に、罪もない子供が犯罪の犠牲になります。悪人が甘い汁を吸い、善人が悲痛な境遇を彷徨(さまよ)うことも。

一度疑念を抱くと、以前のように素直になれません。「信心は、精神生活を向上させる」と力説されても、「はい、では信仰します」とはなりません。強要されたら、余計頑(かたく)なになり拒絶します。「信じ切れたら、どれだけ心和み安らぐだろう」と願っても、信じられないものはやっぱり信じられないのです。

高校に入ると、「確信するまで、教会と距離を置こう」と、決めました。「俺だけは、簡単に言いくるめられないぞ」と、大人たちに宣戦布告したのです。信じてもいないのに信じるふりをするなんて、偽善。「神様に泣きつくなんてみっともない。神様などあてにせず、自分で道を切り拓くべし」心の中から神様を追い出しました。そして傲慢(ごうまん)にも、「信仰とは、現実を直視できない弱い人の妄想」と、切り捨てました。弱い者たちが〝宗教〟という架空のシェルターに逃げ込み、互いの傷口を舐(な)め合っている退廃的な営為であるかのように見えたのです。

かつて友人が言った、「神が人間を創ったのでなく、人間が神を作った」という言葉が、胸に燻(くすぶ)りました。

初めて自分の意志で神殿へ

それが二十歳頃、思い通りにならないことが、次々と生じてきました。親友の大事故、恩師の急逝、夢の挫折等々。「人生など、砂浜に描く絵のようで、いくら精魂込めても、一度波がザブーンと押し寄せれば、すべてがさらわれる。痕跡も残らない……」ひどい虚脱感に陥りました。

数日間悶々と悩んだ揚げ句、初めて自分の意志で神殿に行きました。なぜ神殿かというと、他に行く所がなかったからです。「もしかすれば、そこには私のまだ知らない秘密があるかも」と、一縷の望みに縋ったのです。恐る恐る神殿に入り、隅っこでうずくまるように、頭を垂れました。

しかし、何も起こりません。まるで暖簾に腕押し。

半時間も経ったでしょうか。やがて、自分の尊大さに身の縮む思いがします。それまで私は、「俺は特別な人間だ。俺のすごさをみんなが知らないのは、俺がまだ本気になってないから。そりゃ、俺より力の強いヤツ、勉強のできるヤツはいる。しかし、最終的に正しいのは俺。俺が人間界最上の人間なのだ」と、臆面もなく自負していました。「自分だけが特別」などと天狗になれるのは、幼稚で愚昧である証。そうです、高慢はいつも、何らかの愚かさと結びついています。

ところが、その突っかかい棒だった自信がポキンと折れ、へなへなとへたり込んだのです。

「俺は、今まで見下してきた奴らと違わない。いや、それ以下の人間だ。これほど愚劣なのに、あんなに思い上がっていたなんて……、恥ずかしい……」

増長から自信崩壊へ、頂上から地底への急降下。プライドを粉々に打ち砕かれ、みすぼらしい裸の自分を露呈しています。

「すみません、すみません」と、ひたすら謝ります。これまでの驕慢が申し訳なくて、申し訳なくて、涙がこぼれました。

すると、「あれ、俺は今、なにに謝っているのだろう…？」

ふと疑問が頭をよぎります。

「ん？？？……ああっ、神様だ！　親神様に謝っている！」

遮蔽壁がバサッと落ちて、視界が一挙に広がった心地。

「ああ親神様は、私のこんなお粗末な過ちも、馬鹿げた驕りもすべて許して、私をすっぽり丸ごと受け入れてくださっている！」

ガチゴチに強張っていた心と体の力がスーッと抜け、重圧から解き放たれた安堵感。親神様のふところに抱かれ、親神様と一体化しているような感覚です。

これが、親神様を心に迎え入れた瞬間です。

信仰とは強い生き方

「もし神がいるなら、なぜこんな不公平が罷り通るのか」

それを理由に神の存在を拒否する人がいると言いました。しかし「なぜ私はこんな目に遭うのか」という問いに答えるのは、信仰しかないのです。科学では答えられません。

また、「信仰者と無神論者の間には、越えられない溝がある」とも、述べました。苛酷な現実を突きつけられ「無神論」という立場を選んだ人と、同様に誠実に悩み信仰に答えを見出した人、結論は正反対。でも両者は案外、〝生きること〟と真剣に向き合っている点で、共通の土俵に立つのかも。根底には、共感し合う部分があるはずです。

さらに、「宗教は〝弱い人の現実逃避のための妄想〟と切り捨てた」と、私の高校時代を回想しました。しかし信仰は、〝現実逃避のための妄想〟というような、その場しのぎの安易なものではありません。人間の尊厳、人間存在の根幹に関わる営為です。

自分の力で生きていると思い上がる限り、親神様のお働きに気づきません。しかしながら私たちは、しばしば自分の力ではどうにもならないことに遭遇します。その時自分の無力さを痛烈に思い知り、自分を遙かに凌駕（りょうが）する神秘的な力に、豁然（かつぜん）と目覚めます。天の壮大な摂理に、自分が生かされていることを、凛然（りんぜん）と悟るのです。

信仰は、単なる心理現象ではありません。

まず親神様側からの働きかけがあります。そして人間がそれに真摯（しんし）に呼応して、信仰が始まります。親神様の無数の奇蹟に気づき、敬虔（けいけん）になり、人生が深くなります。

信仰は、強い生き方です。〝弱い人の現実逃避〟ではありません。逆境にあって現実を正視、人を恨まず不平を言わず、親神様のご意図を汲（く）み取ります。燦々（さんさん）と降り注ぐ恵みを知り、それを喜び、生命を謳歌（おうか）する、清廉で晴朗な生き方なのです。

2 なぜ天理教？

「ごめんください。天理教の者ですが、とてもよい教えですので、聴いていただけませんか？」

私は、学校を卒業後、布教に出ました。一軒一軒、戸別訪問する毎日です。勇気を奮ってドアをノックしますが、たいてい断られます。「間に合ってるよ」「私は○○教を信仰している」、あげくに「宗教って、どれも同じだろ」と言われます。

私は、「お道の教えは、他の教えとは違う、決して同じじゃない」と思うのですが、うまく説明できず、歯痒くてなりませんでした。

なぜ、天理教なのだろう？

当時私は、「天理教を信仰すると幸せになる、と教えていただいております」というように、いつも間接形でした。「この信仰でたすかりますよ」と、自分の言葉で語れませんでした。受け売りの言葉では、相手の心に響かないのは当然です。

そのうちだんだん、「世界にはいろいろな教えもあるのに、なぜ天理教なのだろう」との疑問が、頭をもたげてきました。「多くの宗教があり、各々自分達の教えが絶対だと説いている。その中で、なぜ天理教なのだろう」、自分に対してもうまく答えられません。ここがはっきりしないと、〝たまたま家が天理教だから〟という頼りないことになります。自分自身に説明できないのに、どうして人様に、お道の信仰を勧められるでしょう。

そこで答えを求め、教理を一生懸命勉強しました。

普通、勉強すれば、だんだん謎が解けてくるものです。ところが私の場合、勉強すればするほど、逆にわからなくなってきたのです。私は教理に、〝論理的整合性〟を求めました。けれども、辻褄（つじつま）合わせに腐心するほど、辻褄が合いません。私の性分として、スッキリ解決するまで、そこから前に進めないのです。

やがて教理への疑念が壁のように押し迫ってきて、私を圧迫します。信仰の中身が痩せていくように感じました。教えにも、自分の信仰にも、自信をなくしていったのです。

教祖殿で

そんな頃、おぢばに帰ってくださる方ができ、神苑を案内しました。

神殿で、「ここが初めて人間を宿し込まれた地点です。親神様がお鎮まりくださいます」と、ぢばについて解説します。

そして、教祖殿に行き、教祖（おやさま）のお話をしました。

「教祖は、食べ物も着る物も家財道具も貧しい人たちに施され、母屋や田畑を売り払ってまで、たすけようとされました。世の中には立派な方がおられますが、ここまでする人がいるでしょうか。しかも賞賛されるどころか、村人は嘲笑し、親戚や知人も教祖を見放しました。後には警察や監獄署に何度も拘留されておられるのですよ。悪いことなど何一つせず、人だすけに身を捧げられたのに」

そんなふうにお話ししているうちに、だんだん胸がこみあげてきました。

白状しますと、それまで私は、教祖に対し特別な思いを抱いたことはなかったのです。

ただみんなと同じように頭を下げ、形だけ参拝の真似をしていました。

もちろん、教祖は「神のやしろ」「ひながたの親」「存命の親」と、知っていました。しかしそれは知識上のこと。テストのために、方程式や歴史年代を丸暗記するのと同じでした。

ところがその時は違います。「教祖」と言おうとすると、胸が熱くなり震えて言葉になりません。心が教祖に激しく反応しています。それまでそんな経験は皆無です。おそらく、においがけに歩きながら、教祖のことを考えたり、教祖に疑問をぶつけたり、無意識に教祖と対話をしていたからでしょう。

ふと気づくと頭上で、誰かがやさしく微笑んでおられます。

「ん……誰……？」振り向いて見上げます。「あ、教祖。ご存命の教祖が、私をご覧になっている！」、全身に鳥肌が立ちました。お姿を見たわけではないのですが、胸は教祖に満たされています。

「ああ、そうか！　教祖はいつも、私の傍らで、私を見守ってくださっていたんだ」

それまで心に燻（くすぶ）っていたモヤモヤが、一挙に晴れ渡ります。「これで胸を張り、私は天理教信仰者だと公言できる！」、人生の課題を一つ解決したかのような喜びに包まれました。「イエス様や仏様ではなく、教祖だから、私は天理教を信じるのだ！　教祖が慕わしく、教祖を信じるから、お道の信仰者なのだ」うれしくて涙がこぼれました。

教祖が手引いてくださった

いろいろな宗教を比較研究し、「天理教が一番優れているから」とお道を選び信仰する人は、案外少ないでしょう。私がお道を選んだというより、教祖が私をお道に導いてくださった、というのが実感です。

教祖の温もりに満たされた瞬間から、教理上の細々した問題はどうでもよくなりました。

「なぜあんなことに一々こだわっていたのだろう」

それまでの自分がおかしく思われます。

それまで荒唐無稽（こうとうむけい）としか思えなかった「元の理」が、スッと胸に入ってきて、その不思議さが大好きになりました。お母さんが、子供に話して聞かせるようなお話で、教祖の息遣いを感じるからです。

知識と信仰

今も私は、重箱の隅をほじくるように教理の文献や史料を調べるのが好きです。

ただ、そうして得た教学的な知識と、私の信仰の本体とは、また別なようです。机に向かっての教理勉強は私の楽しみですが、いざ自分が窮地に陥り、「どうしよう」と青くなる時、ものを言うのは理屈っぽい教学知識ではなく、実体験で染みこんできた素朴な信条です。

「ああ、低い心になって、素直にならねば」「教祖は、もっと苛酷な状況でも、朗らかに勇まれたなぁ。私がこんなことで腐っていたら、教祖に申し訳ない」そんな質朴な信仰信念が、立ち上がるカンフル剤となりました。

おそらく教祖への敬慕なしに、教義を理論として研究しても、教えの核心に触れ得ないでしょう。抽象的になるほど、教祖の〝匂い〟がしなくなるのです。教祖の温もりが胴身に沁み入って、学んだ教えに血が通います。

私たちは、教祖とより強く結ばれるために、教理を勉強します。

教祖に聞いていただく

普段は隠している正直な気持ち、人には恥ずかしくて言えないこと、話せば差し障りのあることも、教祖に包み隠さずお話します。教祖になら 安心して打ち明けられます。教祖は何でも聞いてくださいます。

するとどこかから、「よう頑張ったなぁ。もうそれ以上自分を責めたらあかんで。もう、なぁーんも心配いらん、もたれていたらいいんや」そんな声が聞こえる気がするのです。教祖に聞いて頂くと、肩の荷がフッと軽くなります。胸に光が射し込む心地がします。それが何より、教祖が存命でお働きくださった証拠。

ご存命の教祖の存在を、科学的に証明できないかもしれません。しかし、日々暮らしの中で、ご存命の教祖を実感することがいっぱい。教祖がご存命で働いてくださっている、なんと心強いことでしょう。

ご存命の教祖への信仰は、嬉しいことも悲しいことも、なにもかも教祖にお話しすることから始まるのかもしれません。

ジグソーパズル

最初から教理のすべてを得心できずともいいのでは。一つでも、「これは間違いない！」と確信できるものがあれば、そこから年限をかけ信仰は広がり深まります。

ウィスキーは樽の中で五年、十年、十五年と熟成し、芳醇な風味を醸します。信仰も、長い風雪を経て、純度を高め、まろやかで味わい深いものとなっていきます。

教えを学ぶことは、あたかもジグソーパズルに取り組むのに似ています。人生という台紙に、教祖の教えを、パズルの一片一片をはめ込むように、丹念に埋めていきます。次第にバラバラだった破片がつながり始め、脈絡ができ、教祖の思召が浮かんできます。ある瞬間、素晴らしい名画が姿を現し、思わず息を呑みます。

「ああ、やっぱり教祖が仰った通りだ！」

大和伝統野菜
大和丸なす

第1章

日常の風景

3 トランプで勝負

トランプをしようとテーブルに着きます。

配られるカードは、自分では選べません。手にしたカードで勝負するしかないのです。大したカードもないのに大勝負に出る人、手堅い定石(じょうせき)を好む人、早々に見切りをつける人など、進め方は人それぞれ。

初めに強いカードが来た人が必ず勝つかといえば、そうはならないのが、面白いところです。弱小カードを元手に相手の出方や流れを読み、勝利をさらう強者もいるからです。

人生、トランプに似たり

人生も、トランプに似ています。

私たちは、環境や素質というカードを与えられて誕生します。最初から好条件の人もいます。裕福な家庭に、才色兼備で生まれつく人です。逆に、家庭は貧しく、外見も凡庸という人も。それって、生まれた時から〝格差〟？

それでも、あてがわれたカードで勝負するしかないのです。自分のカードを嘆いても不毛。羨望や妬みは心を腐らせるだけ。

ところがトランプと同様、スタートで恵まれた人がいい人生を築き、マイナスから出発した人生が悪くなる、とは限りません。厳しい境遇ながら、苦心を重ね天分を活かして、充実した生涯にする人が大勢います。一方、出だしはよかったのに、欲に狂い、惨憺たる晩年を迎える人もいます。

持ち札を活かすも殺すも自分次第。

勝敗基準

もっとも、トランプと人生が、決定的に異なる点があります。

ゲームは、ルールによって勝ち負けが明確に規定されています。しかし人生には、勝敗を計る客観的なものさしがあるわけではありません。

しばしば「勝ち組」「負け組」という言い方がなされます。邸宅に住み高級車を乗り回すのが「勝ち」で、粗末なアパートでコンビニ弁当をつつくのが「負け」でしょうか。ところが、財を成し地位を得ても、金銭トラブルや身内の争いに明け暮れ、人間不信に陥り、暗澹(あんたん)たる一生を送る人がいます。他方、無名で質素でも家族が助け合い、笑顔いっぱいに張りのある日々を送る人もいます。

誹謗(ひぼう)され極貧の中を明るく通られた教祖のひながた。収入の多寡(たか)、名声の有無に囚われずともよいという、私たちの大きな希望です。

フランスの思想家ルソーは、「人はつねに自分の幸福をのぞむものだが、何が幸福であるかをいつも理解しているわけではない」と言っています。もしもルソーの言うように、追い求めるゴールが分かっていないのなら、そこに到達したか否か、勝利も敗北もないではありませんか。

人様に勝ち負けを判定してもらう必要はありません。そもそも他人の評価など、無責任で当てにならないもの。人と較べるのが、間違いの元。

自分が決めればいいのです。「ああいい人生だなぁ」と陽気に暮らす人の勝ち。「俺の人生は失敗だ」と自棄(やけ)になったら負け。

ゾウさんのお鼻

まどみちおという詩人が作詞した『ぞうさん』という童謡があります。

♫　ぞうさん　ぞうさん　おはながながいのね　そうよ　かあさんもながいのよ　♪

「クマさんやトラ君やウサギちゃんの鼻は長くないのに、何故ぼくのだけこんなに長いの？　格好悪いなぁ、恥ずかしいなぁ」と、自分の鼻が嫌いで隠そうとするゾウがいるかもしれません。友達と会うのも気が引けてひきこもり、自分を生んだ両親を恨むのもいそうです。

けれど歌の子ゾウは、「母さんの鼻も長いんだよ」と、うれしそうです。「鼻が長いって、素敵だぞ」「高い木の果物(くだもの)も取れるし、水を飲むのも便利だよ。鼻で水を体にかければシャワーにもなるんだ」と他の動物に自慢しています。自分の鼻に誇りを持ち、美しいと感じ、好きでたまらないのです。

長い鼻という親神様からの贈り物。それを幸せに思うのもいれば、劣等感に苦しむのもいます。

本来たんのうとは、歯ぎしりして痩せ我慢をするようなものでないはず。ちょうどこの子ゾウのように、自分の境遇をそのまま受け入れ、無邪気にうれしく楽しむのがたんのうでしょう。

我慢はストレスですが、たんのうは心を開放し、軽やかにします。

この子ゾウのように、今の姿を素直に喜び、胸を張って生きていければ、最高。これこそ、人生の「勝ち組」です。

4 検察官と弁護士

サスペンス・ドラマの法廷場面。

不正を鋭く追及する検察官と、全力で被告を守る弁護士、双方の言い分がぶつかり火花が散ります。両者の熱弁により、意外な真相が明るみに、物語は二転三転。視聴者はテレビに釘付けです。

人物評価

私たちの身の回りにも、人の過ちに厳しい〝検察官〟のような人もいます。また、そっと相手の身になり援護する〝弁護士役〟の人もいます。

例えば、ここに周囲との違和感に悩む人がいるとします。〝検察官〟は、「お前は孤立して協調性がない」と、叱りつけます。ところが〝弁護士〟は、「その違和感が、内なる鉱脈を掘り当てる探査針。あなたの武器だよ」と、にっこり。

また、繊細で傷つき易い人に対して〝検察官〟は、「プレッシャーに弱く重要な仕事は委せられない」とバッサリ。片や〝弁護士〟は、「感度の高いアンテナを持つから時代のニーズに敏感、商品開発に力を発揮」と、期待します。

さらに、心配性の人を見て〝検察官〟は、「悲観的で周囲を暗くする」と眉をひそめます。〝弁護士〟は、「前方の危険を想定し備えるには、この性格は有為」と、危機管理のポストを用意。

こんな例はいくらでも。いつも細かな部分に目が行く人を〝検察官〟は、「枝葉末節に拘り、大局を見ない」と酷評しますが、〝弁護士〟は、「仕事が緻密で、細部まで丁寧」と感心。逆に、細事に無頓着な人に対しては、〝検察官〟は、「仕事が雑」とバツ印。しかし〝弁護士〟は、些事に囚われない大らかな人柄に好感を抱きます。

どこにどう注目するか、です。

人の美点を正当に評価するには、度量と見識を要します。人の長所を見抜く〝弁護士〟の才は、仕事でも人間関係でも大いに生きるでしょう。

尊大

悪いことは悪いと、きちんとモノ申す人は必要です。でなければ、人も社会も腐敗します。

とは言え、みんながみんな〝検察官〟になって、お互いの非をあげつらう社会など、悪夢。

人の短所は見ようとせずとも目につきます。うわさ話の多くは悪口かも。人を貶(けな)す密かな悦び、人は誰かを誉めるより、貶(おとし)める方が好きみたいです。だから週刊誌は、販売促進のため人の悪口ばかり。

自分でも認める弱点を、人からまともに譴責(けんせき)されると、負い目を感じるだけに抗弁できません。良心的な人ほど、黙って甘受します。痛くない腹を探られるのは嫌ですが、痛い腹を探られるのはもっと嫌。

そんな人の痛みに無神経、小さな粗(あら)をやり玉に挙げ正論を振りかざす人は、どこか尊大で冷酷です。特に、狭量(きょうりょう)な者が〝正義〟に熱中してしまうと、厄介(やっかい)。相手が黙っているのをよいことに、ここぞとばかり口を極め攻撃、普段の鬱憤晴らしをします。

辛辣な箴言で有名なフランスのラ・ロシュフコーは、「人は他人の欠点をすぐ非難するが、それを見て自分の欠点を直すことはめったにない」と痛論します。自分は顔中泥まみれなのに、相手のオデコの小さな汚れを嬉しそうに言い立てるようなもの。自分が誰かを品評している時、相手もまた、こちらを値踏みしていることを忘れるべからず。

おたすけ人

苦悩の底でのたうちまわり、自分の弱さや愚かさを思い知ると、軽々に人を批判できなくなります。人を非難できるほど、自分が強く正しくないことを知るからです。悲嘆時に味わう哀しみの深さが、人を優しくします。自分も辛さが分かるから、渦中にあって苦しむ人を見過ごせません。

自分が高く評価される、これに優る喜びがあるでしょうか。私という人間を認め高く買ってくれる人がいる。それだけで、絶望から救われます。

世には、「政治が悪い」「組織が悪い」と批判する者は多勢。しかし教祖は、批判されません。批判する代わりに、自ら笑われ誹（そし）られ一番損な役割を引き受けて、あらゆる人間の味方になってくださったのです。

このひながたを胸に、悩み苦しむ人を応援するおたすけ人。世界は今、そんな包容力豊かで人間愛あふれる〝弁護士〟を待ち望んでいます。

5 王様を欲しがるカエル

イソップ物語にこんな話。

自分たちに王様がいないことを寂しく思ったカエルが、神様に「どうか王様を授けてください」とお願いします。そこで神様は、ヘビを王として遣わしました。

子供の頃この話を聞き、「なぜ、他所から呼んできてまで王様が欲しいのだろう?」と不思議に思いました。だってそうでしょ。普通なら、自分が王になりトップに君臨したいもの。自分の偉大さを誇示し、人をひれ伏させ思いのまま操れば気持ちがいいはずです。猿山のサルでも、ボスは一番先に食べ物を口にし、好きな配偶者を侍らせ、子孫を残すにも有利。そうした権力の座を巡って、人類も、血みどろの闘いを繰り広げてきました。

権力

確かに、リーダー不在の共同体はあり得ません。烏合の衆の集団では、皆が同列ゆえに利害や意見が対立し、混乱は必至。

英国の哲学者ホッブスは、国家という法体制や警察組織のない所では、「万人が万人を敵とする闘争になる」と主張しました。各自が自分の欲望を叶えるため、他人の物を奪ったり、怒りにまかせて暴力を振るえば、社会は混乱必至。社会の秩序保持のためには、権力という強制装置が必要というわけです。

確かに、民衆が権威に従順であれば、社会は安定します。

想像ですが、カエルの間で揉め事があり、自分たちでは収拾がつかず、外部から権威ある王を招聘し問題解決を図ったのかも。あるいは、外敵から守ってくれ、夢を実現してくれる〝慈愛深き王〟という幻想を抱いた可能性も。

序列

片や、玉座に着いた王。民の願いと裏腹に、民を守り養うより、民から搾取することに熱中。王の権能が神聖で強大であることを、内外に見せつけます。巨大な建造物で民衆を畏怖させ、軍事力をちらつかせ強権を発動して、服従を強要しかねません。

さらに王は、まるで商品に値札を貼るように、家来に身分や位階を貼り付け、そのラベルに応じた敬意を払うよう皆に強制します。臣民の間では、賜った順位により、横柄に相手を見下したり、逆に身を縮めるようにへつらったりと、上下関係にがんじがらめ。

すべては、王自身の権威を高め、支配を盤石にするためのカラクリ。

高山と谷底

教祖は、これを、「高山」「谷底」の比喩(ひゆ)を用いて叱正されます。

高山にくらしているもたにそこに
くらしているもをなしたまひい　(おふでさき　十三　45)
それしらすみなにんけんの心でわ
なんどたかびくあるとをもふて　(同　十三　47)

上層部で権勢(けんせい)をふるう者も、底辺に甘んじる者も、本来同じ魂。なのにお前たちは、人間に高低があるように錯覚している。魂の次元では、尊卑(そんぴ)などないと、敢然と言明されたのです。身分意識の強い時代、傲岸(ごうがん)な当局による迫害の真っ只中でのことです。

地位や肩書きは、あくまで人為的なもの。教祖が仰せのように、人間の心が上下高低を生み出すのです。

入院体験

私は入院して、痛感したことがあります。それは、入院すればみんな〝一人の患者さん〟だということです。外ではパリッとスーツを着こなすエリートも、商店街のおばちゃんも農家のおじちゃんも、政界の大物だって、病院ではパジャマ姿の〝患者さん〟。ベッドに名札が貼られ、腕にはバーコード。若い看護師さんに、「パンツを脱いでください」と言われれば、「ハイ」と素直に従うしかありません。

まして手術で、お腹の皮を一枚剥がせば、誰しも大差ありません。そして、「いずれ出直す」という点では、学歴や肩書きや年収も、一切関係なし。アメリカ人、中国人、日本人の区別もありません。誰もが一律〝一個の生命体〟。

人間に貴賤はない、これは、存在の根幹にある厳粛な真実です。

教祖の「さん」付け

『天理教教祖伝逸話篇』を読みますと、教祖は、人の名を呼び捨てにされません。「伊蔵さん」「おりんさん」というように、「さん」付けです。若者相手にも「伊三郎さん」「与之助さん」、また子供にも「梅次郎さん」と、老若男女の別もありません。人一人の人格、尊厳を大切にされるのです。教祖のお目から見れば、救けを乞う人も、手荒な巡査も、等しく可愛い我が子。

一方、教祖に「さん」付けで呼ばれた人々。うれしくて、一挙に敬慕の念が膨らんだことでしょう。

それにしても、人々に注がれる教祖のまなざしの温かいこと。

カエル国のその後ですか？　結局、請われて王となったヘビは、池のカエル全員を食い尽くしたそうです。「神は立腹したときは、悪しき王をお送りになる」という西洋の警句通り。くわばら、くわばら……。

学者もお金持ちも、王様も庶民も、親神様を親と仰ぐ一れつ兄弟姉妹(きょうだい)同士。この真実を忘れるところ、悲劇が生じます。

6 複雑になったらアカン

「よくもまぁ、世の中にはこれだけたくさんの本があるもんだ！」

大型書店に、一歩足を踏み入れた時の感想です。店内には、夥(おびただ)しい数の本が陳列されています。まるで知識と情報の海。

古今東西、何冊の本が出版されたことか。一生のうちにこれらすべてを読破するのは、到底無理。読了してもその時点でまた、新刊書籍が溢れています。

ジョン・ロックという英国の哲学者は、「大西洋の最深部の深さを知らなくても、航海しているルートの水深を知ることができればそれで十分だ」と喝破(かっぱ)しました。

情報はたくさんあればよい、というものではありません。あればあるだけ、重要なものが埋没します。多い故の迷い、過ちがあります。どのみち世界のすべてを知り尽くすことはできません。問題は何を知るか。

世界の知恵を収集した書物

こんな話があります。

二十才の若き王が理想国家を志し、賢者を集め、「世界の英知を収集し、書冊にまとめよ」と命じます。賢英たちは各地を訪ね、三十年後に五千冊の本を王に提出。けれども、五十才になった王は国事に多忙で、読む暇(ひま)がありません。そのため、「もっと少ない冊数に」と言い付けます。そこで精選し十五年後に五百冊を献上。ですが、それでも王には多過ぎます。王は再度命令、賢人たちは十年後には五十冊を選定し、届けます。すると王は、「最も重要なことだけに絞った一冊にせよ」と厳命。こうして五年後には、人智の結晶というべき一冊になりました。しかし王はその時既に八十才、とうとうそれも読まずに亡くなりました、とさ。

長い歳月、身を削るようにして培った賢知。ところが、いざそれを使って何事かを成そうとすれば、既に老い、時間も体力も残っていません。せっかくの知見も、それを用いる機会が与えられないまま……。

シンプルな航路図

人生、待ったなしの判断の連続。右に行くか左に行くか、何を優先し何を断念するか。突然岐路に立たされ、「さぁ、どうする」と難問を突きつけられることも。

そんな時、情報を集め研究分析する時間はありません。頼りになるのは、ロックの言う、シンプルな航路図。つまり、道を踏み外さず、目的地に向かってまっすぐ進むための、人生行路図です。

吊り橋を前にし、「橋の強度は」「落ちた時の衝撃は」と考え出すと、考えねば簡単に渡れる橋も、足がすくんで渡れません。「余分なことを考えずに済む」というのは、本当に大切なことだけに集中するために必要です。

「複雑になったらアカンぞ」、父は私に釘を刺しました。

不安になると私はすぐ、「ああだ、こうだ」と理屈をひねくり回し、余計混乱を深めます。そして複雑になれば陰鬱（いんうつ）になります。そんな私の性分を心配した上での、父の一言でした。確かに充実している時は、考えも明快で、胸中の通気も良いのです。本当に知っておかねばならないものだけを、知っておき、単純な生き方を心がけることを、父は私に念を押してくれました。

単純な信仰

信仰は、「知識を増やせば深まる」というわけではなさそうです。知識を増やすより、むしろ、不要な知識を捨てること。自分の生を限界まで掘り下げると、付随的なものが背景に退き、本質が浮き彫りになります。

信仰は、深まるほど、単純になります。そして単純な信仰ほど、強くて軽やかなもの。だから無学の老女が、博覧強記（はくらんきょうき）の学者より、深い境地に達することもしばしば。天真爛漫（らんまん）の三才心で、天の恵みを素直に喜ぶ日々。私の目標です。

素朴な教え

『教祖伝』や『逸話篇』を繙（ひもと）くと、教祖のお言葉が、拍子抜けするほど素朴で平易なことに驚きます。「天理の教えというのだから、さぞかし巨大な哲学大系のように難解だろう」と想像したら、大間違い。

しかも、一見単純に見えながら、深く尋ねれば、無限に深い答えを発見できるのです。「水を飲めば水の味がする」「人が好くから神も好くのやで」「ふしから芽がでる」「やさしい心になりなされや」「人救けたら我が身たすかる」「働くというのは、はたはたの者を楽にするから、はたらくと言うのや」等々、何と簡素で美しい言葉でしょう。しかも、お母さんが子どもに話して聞かすように、温かいのです。

教祖のひと言に含まれる滋養分の豊かさは、賢哲が世界中から集めた五千冊を、遙かに凌駕（りょうが）するに違いありません。

7 結婚って、いいものですよ

♪　死ぬの　生きるのと　さんざんもめて　三月で別れる奴もありゃ
いやだ　いやだと云いながら　五十年そってる人もいる　♪

一九六〇年代に流行ったクレイジーキャッツの歌。子供心に、「へぇ、結婚って、むつかしいんだぁ」と、驚いた記憶があります。五十年以上経っても、歌われた事情は変わりません。

恋愛

古今東西、数多のラブ・ストーリー。世界各地の神話や民話、文学や音楽、またテレビや映画でも、愛を巡る物語が目白押し。恋愛と結婚は、万古不易の関心事です。

男女関係の善し悪しは、人生の明暗を分ける一大事。

愛する人の瞳（ひとみ）に、自分への愛を発見した時の、火照（ほて）るような幸福感、息苦しいほどのときめき。同時に、それを失う不安や恐怖、嫉妬（しっと）や猜疑（さいぎ）も。中世の哲学者・ベーコンは、「恋をして賢くあることは不可能」と記しました。

冷たくされると、哀しみで胸が塞（ふさ）ぎます。想いが通じなければ余計想いは募（つの）り、周りに反対されるほど、燃え上がります。「より多く愛した者が、より多く苦しむ」とも言われます。英国の作家・サマセット・モームは、「恋愛の成就（じょうじゅ）に障害があれば、恋心はそれだけ強くなり、それだけ長続きするものだ。もっとも長続きする恋愛は報われぬ恋である」と書いています。失恋し失意の淵で自分を見つめ、大きく成長する人も少なくありません。失恋は、「あなたには、あなたに相応（ふさわ）しいもっといい人がいますよ」との、教祖のお導き。

愛し愛され、生命が沸き立つような恋の歓喜。この強烈な熱エネルギーが、結婚への駆動力。心にビビッと来て、「一緒にいたい」と、結婚に向け走り出します。恋愛は、親神様から人間への輝かしい恵み。人を美しく煌（きら）めかせ、生を彩る光源です。

結婚生活

こうして二人は、恋を実らせ、ゴール・イン。映画なら、めでたし、めでたしのハッピィ・エンド。

ところが実際の人生は、ここで終わりません。映画で言うと、シリーズⅡが控えているのです。主人公は同じでも、テーマは一変。タイトルは「夫婦関係」、ストーリーは現実的。しかも夫婦の実生活は、恋愛期間より長いのが普通。

恋愛時代は相手に好かれたい一心。よそ行きの服装や言動で、好感度アップに躍起。でも結婚したら、ずっと「よそ行き」でいることなど、無理。当然、普段着の自分になります。お互いそれまで知らなかった裏表が見えてきます。以前は、恋の魔法で相手の痘痕がエクボに見えたのが、やっぱり痘痕だと分かって、ショック。相手に対するイメージも再調整。

しかしこれを、「愛の劣化・減少・消滅だ」と嘆くに及びません。

一緒に暮らして、四六時中お互いドキドキ胸を高鳴らせていたら、緊張感でくたくた。

激しい熱情は薄れて当たり前。それが自然です。

その代わり今度は、情熱に替わって、穏やかな情愛が芽生えます。

作家の遠藤周作は、「表面的な美しさや魅力のメッキがはげて、当人の欠点やアラがわかってきたところから夫婦愛ははじまるのだ。本当の夫婦とはこの夢が破れたところに、情味、情愛を感じ、それをスルメのように噛みしめてできるものではないか」と、述べています。

自分も多くの短所を抱える身、なら相手の短所にも寛大になるべき。夫婦生活の成否は、互いの難点や失敗を許せるかどうか。痘痕（あばた）が痘痕と分かっても、その痘痕に懐かしさを覚える、それが多年連れ添った夫婦の良さ。もっとも、伴侶以外の異性によそ見をするのは、論外ですが——。

半分

英語で、夫が妻のことを「マイ・ベター・ハーフ」（私の良質な方の半分）と呼び、妻が夫のことを「マイ・ワース・ハーフ」（私のできの悪い方の半分）と言ったりします。男の方が損？　でもまさに、伴侶は自分のハーフ（半分）です。

古代ギリシャの哲学者プラトンは、こんな話をしています。

「神々は、増長する人間を憂い、二つに分断した。以来、半身の人間は、お互い元の完全な姿を夢見て、もう片方の半身を探し、再び一緒になろうとする」。つまり人は、本来の自分の半分を見つけ、元の姿に復す時、初めて幸福を味わえる、というわけ。

しばしば離婚の原因として、「性格の不一致」が言われます。しかし「不一致」以上に、「似ているが故に壊れる」ということも。プライドの高い者同士が口論になれば、どちらも譲れません。凸と凸の突起部分がぶつかって、発火・炎上をきたします。ですが、凹と凹でもうまくいきません。両方が心配性の場合、不運が続くと、相乗作用で双方際限なく悲観して共倒れ。

二人が異なるからうまくいく、違うから尊敬できるのです。

他人には鼻につく押しの強さも、気弱な人には、頼もしく映ります。幾分大雑把な性格も、神経質な人にとっては、大らかで心休まります。頼りない連れ合いも、世話好きには「だからこそ守ってあげたい」と愛おしいもの。つまりパズルのピースのように、凸には凹、凹には凸が、ピッタリ。

独りの時は、自分一人で何もかも背負（しょ）わねばならないので、大変。でも結婚すれば、一つの幸せを二人で支えればいいので、自分の分担はそれまでの半分です。そう思うだけで気が楽。そこで生じたゆとりを、相手への思いやりで埋めるのです。

とは言うものの、片方に全部負担を押しつけたり、一方だけが耐え忍ぶというのでは、破綻（はたん）は必定。さだまさしさんが、「♪　幸福（しあわせ）は二人で育てるもので　どちらかが苦労してつくろうものではないはず　♪」と歌った通り。

このバランスが夫婦の妙味です。

信仰

このように、夫婦は違っていいのですが、しかし共通項が皆無では、一緒に暮らせません。

特に根幹にある価値観が相反すると、事ある毎に擦（す）れ違いぎくしゃくしてきます。双方に苛立（いらだ）ちが蓄積、やがて亀裂が表面化して、手に負えなくなるかも。異なる環境に育った二人が、共に暮らし敬愛し合うには、やはり共通の土台が不可欠。

そこで信仰です。

教祖は、「夫婦揃うて信心しなされや」と仰せられました。信仰という同じ基盤に立つことで、お互いの違いが生きるのです。信仰は、心の根底に息づく生き方の基本姿勢。二人が同じ信仰をもつことは、根っこでつながるということです。

また信仰は、風雨にあって二人を支える強靱な土台。信仰を軸に、二人が力を合わせます。試練に見舞われる毎、難関を乗り越える度、夫婦の絆は確実に強固に。

長持ちの秘訣

ある男性の述懐です。

「夫婦の倦怠期に入った頃です。私は病に倒れ、即手術、長期入院。幸い回復しましたが、その間、妻は献身的に介護してくれました。家事や仕事、子供や両親の世話と、大変だったと思います。以来、口げんかもしますが、あの時のことを思うと、怒るに怒れなくなります。今は、さすがに恋愛中のようなときめきは感じません。しかし深々とした信頼感があります。自分の体の一部のように、そこにいるだけで安心です。もしあの時、病気をしなかったら、今の私たちはありません」

伴侶が仕事や病気でピンチを迎えたら、共に困難に立ち向かうこと。その経験は、その後の二人の接合剤です。生涯夫婦仲を取り持つ、かけがえのない財産。

反対に、連れ合いが窮地に陥っても、見て見ぬ振り。これは、後々拭えない凝りを残すでしょう。

結婚を躊躇している人に

毎日のように耳にする、不倫や離婚の話。もしやあなたは、こうした醜聞に怖れをなし、「結婚って面倒」「独身の方が気楽」と思っていませんか。

確かに、求める幸せは人各々。結婚をしない自由、生涯独身という選択肢もあるでしょう。

そしてむろん、結婚生活にも苦労はあります。ですが、それに勝る愉楽と安らぎがあるのです。仲の良い家族の和み、睦み合い、それは、この世で味わえる最上の欣幸。みすみすこの幸せを、選択肢から除外し放棄してかかるのは、あまりに勿体ない。

望むのに、出会いに恵まれない人もいるかもしれません。また、「年齢的に…」と諦めている人も。

しかし、断念するのは早計。プラトンではありませんが、世界のどこかに自分の半身たる人がいて、その人もあなたを待っているはず。

「友達に誘われた海外旅行。乗った飛行機で〝たまたま〟隣に座った男性、それが今のだんなさん。もし、友人が私を誘わなかったら、彼に海外出張の指令が出てなかったら、それが違う日、違う便だったら、一列でも席がずれていたら――、私たちの出会いはありませんでした。もちろん、今の子供たちもこの世に存在していません。偶然とは思えないのです。目に見えない不思議な力が働いたとしか思えません」

教祖が引き合わせ、教祖が結んでくださったのです。

教祖はある時、「神様は、これとあれと、と言われる。それで、こう治まった。治まってから、切ってはいかん」（『稿本天理教教祖伝逸話篇』三二　女房の口一つ）と諭されました。出会いは教祖の粋なお計らい。そしてその後は、二人の努力次第。

でも……、もし既に離婚していたら？　それは、教祖の思召す相手ではなかったのかもしれません。まだ、自分本来の半身に巡り合っていないだけ。出会いはこれから。楽しみですよ。

夫婦ならでは

「いつもきりりと凛として、優しい心でいよう」、そうは思っても時には、弱さも我が儘もさらけ出してしまいます。だけどそれも、夫婦なればこそ。ガードをはずし、飾らず、ありのままでいる心地よさ。下着姿でくつろいでも、うっかりオナラが出てしまっても、それを微笑ましく思えるお互い。

　映画の主人公のように格好良くなくても、不器用でも、自分達だけの愛の形があります。支えてくれる人がいて、支えてあげる人がいて、二人並んで座っているという至福。それらは、懸命に生きてきた二人への、親神様からのご褒美です。

　独身主義や同性愛の人といえど、両親という夫婦があって、この世に存在しているのです。人間創造にあたり、親神様がまず着手されたのが、夫婦の雛型を作ること。朝夕、

「夫婦をこしらえきたるでな」と歌います。夫婦はまさに、生命の根幹に関わる事柄。まぶしい恋の喜び、夫婦営みの愉悦、子が授かる嬉しさ、子を育てる楽しみ、老熟夫妻の憩い――、誰もが陽気ぐらしを味わうように、人間は創られているのです。

最後に、衷心から申し上げます。

結婚って、いいものですよ。

8 お金の話あれこれ

「部長、今度の宝くじは凄いらしいっすよ。当たれば○億円ですって」

タクシーの中で、若い社員が上司に耳打ち。

「お前の夢は、金で買えるのか！」、上司は一喝。

「おお、かっこいい！」、誰もが一攫千金を夢見て血眼になる現代、お金に超然とする上司に、部下はたちまち心酔です。

ところが後日、社員が街を歩いていると、上司がこっそり宝くじを買っているではありませんか！　こちらに気づいて目が合った時の上司の顔といったら――。

何年か前のテレビコマーシャルです。立派なことを言っていてもやっぱり、みんな内心お金が欲しいんだ……。

「不正の極致とは、実際には正しい人間ではないのに、正しい人間だと思われることなのです」、プラトンの言葉。グサリ、痛いところを突きますよねぇ。

お金を軽蔑する人って

焦がれたものを入手した瞬間は、最高の気分。難点は、その感動が長続きしないこと。手にした途端、別の物が欲しくなります。あれこれ求めるうち、気づけば、家の中は不要な物だらけ。無理して買ったのにほとんど着ない洋服の山、テレビ通販に乗せられ「今度こそ」と注文したけど三日でギブアップしたダイエット器具。分かっていても、インターネットで目新しいものを見ると、ついつい購入ボタンをクリック。これではいくらお金があっても足りません。

「お金が十二分にある」と思っている人は、世にどれほどいるでしょう。資産家は資産家で、「足りない」と苛立っていたり。お金をもらって、怒る人はいません。誰でもできればたくさん欲しいもの。

お金は、大抵の物やサービスと交換できます。その上、生鮮食料のように腐りません。手軽に保存でき、貯蓄も容易。またお金があれば、飢えの不安から解放され、まさかの時の備えになるのです。

しかもお金の便利な点は、ものの価値を「金額」で数値化できること。

とはいえ、この「金額」がくせ者。

一カ月間朝から晩までアルバイトして得る給与と、若い俳優さんが数秒のコマーシャルに出る出演料、桁が違います。もちろん、一月の労働より数秒のＣＭ報酬が遥かに高額。

この差って一体なに？

骨董や蒐集品を鑑定して、価格を発表する番組があります。汚ない器（失礼）に、気の遠くなるような値がついて、びっくり。逆に自慢のお宝が、散々な結果でガックリ。同じような焼き物なのに。

ともあれ、今の世でお金と無関係に暮らすのは、ほとんど不可能。生活するには、お金が必要です。そのお金を得るため、きつい労働に歯を食いしばり、わがままなお客に笑顔をつくります。「楽な仕事などない」と言われる所以。ある人は言いました。「仕事が生き甲斐かだって？　俺は、食わねばならないから働いているんだ」と。

家族のために身を粉にするお父さん、家計の足しにとパートに精出すお母さん、誠実な労働により手にする金銭は、尊いもの。だから冒頭の部長のように、お金をことさら軽蔑する人って、どこか信用できません。ウソつきの匂いがプンプン。大金が欲しくてたまらないけどそれを手にする望みのない人が往々にして、「お金に血眼になるなど卑しさの極みだ」と、お金をこきおろします。

お金は大切。高邁な理想でも、お金の動きを無視しては空理空論。経済が、世界と人を動かしています。

ジャンジャン遣った方がいい？

かつて、「清貧」が尊ばれた時代がありました。誰もが貧しく、人前でお金のことを口にするのも、憚(はばか)られました。

ところが現代はどうでしょう。

堂々とお金を礼賛(らいさん)します。バラエティ番組ではお金の露骨な話題で盛り上がります。スポーツ紙では選手の年俸が見出しを飾ります。お金儲(もう)けの方法を謳(うた)う書籍が書店に並びます。口を開けばお金のことしか言わない人も。

みんながお金をジャカジャカ遣えば、景気が上昇、世は活況を呈します。

逆に消費を渋ると、会社や商店の収入が減少、求人も減り、失業者増加。

この、「働きたいのに仕事がない」というのが、人と社会を蝕(むしば)む元凶(げんきょう)。貧しくとも仕事があれば頑張れますが、仕事がないと、矜持(きょうじ)を失い、生活が乱れ、社会に敵意を抱く人も出てきます。治安も悪化。

資本主義は、人間の欲望や快楽に寛大です。旺盛な消費で成り立つからです。

しかし欲望を野放しにすると、際限なく増殖、多くの歪み(ひず)をきたします。強欲に駆られた投機や実体のないマネーゲーム。動く金額が大きいだけに、破綻(はたん)すれば、社会全体を危うくします。

さらに利欲に走っての資源乱獲、環境破壊も心配です。親神様の体たる自然を損傷し、人間の生存さえ脅(おびや)かしかねません。

人間の欲を抑制するシステムは、本来、資本主義そのもの自体には含まれません。ですので、富の追及のみに突っ走るのは、ちょうど、ブレーキのない自動車で暴走するようなもの。健全な経済のために、経済原理と別仕立ての、欲望を制御する何かが必要。「慎みの心」です。

教祖は、「菜の葉一枚でも、粗末にせぬように」と仰せられました。もちろん、「ケチになれ」という意味ではありません。教祖自らは極限まで慎ましくなされながら、人には無尽蔵に施されたのです。ケチどころではありません。

菜の葉一枚を粗末にすることは、菜の葉に降り注がれた親神様のお働き、いのちの恵みを粗末にすることだと、教えられたのです。

「つなぐ」のも、「切る」のもお金

先ほど、「生き甲斐のためではなく、食わねばならないから働く」という発言を紹介しました。しかし、単に「生活費を稼ぐ」ためだけの労働なら、苦痛です。

ロシアの小説家ゴーリキーは言います。「仕事が義務なら、人生は地獄だ。仕事が楽しみなら、人生は極楽だ！」と。では、どうすれば、仕事が楽しみになるのでしょう？

教祖は、「はたはたの者を楽にするから、はたらくと言うのや」と、明言されました。人様に喜んでもらおう、そう思って取りかかると、仕事はやり甲斐になります。〝いい仕事〟になります。仕事を通して成長、豊かな交友関係が生まれます。自分の努力が、誰かの役に立っている、これに勝る生き甲斐はありません。

物やサービスを、ある時は提供し、ある時は提供してもらう、いわばお金を介したたすけ合い。お金は人と人を「つなぐ」道具、くにさづちのみことのご守護です。今世界は、経済活動のネットワークでつながっています。

ところが、人間関係を「切り裂く」のもお金です。

貸し借りを巡る揉め事、身内同士の遺産相続――。「以前はあんなに仲が良かったのに」、お金が絡むとエゴ剥き出し。犯罪も後を絶ちません。窃盗、強盗、汚職、横領、偽表示、詐欺、殺傷事件も。

なにせお金の魅力は強烈。欲しい物が手に入り、地位や権力さえ可能にする、まるで魔法の杖のように映るのです。良識ある人物でさえ、大金を前にすると心乱れます。お金は魔物。

もしお金が過剰にあり働かずにいると、精神に張りを失うか、遊興で健康を損なうか、家族がバラバラになるか、いずれもろくなことはありません。

フランスの思想家ルソーは言います。

「奢侈は富める者を所有によって腐敗させ、貧しい者を羨望によって腐敗させる」

お金は両刃の剣です。お金そのものに、善悪はありません。要は、それを用いる人間次第。人を結ぶのも、切るのも、その使い方。教祖のように、人様に喜んで貰う遣い方ができれば。

芋粥

遠い昔、芋粥が大好物という下級侍がいました。「一度でいいから、飽きるまで食べてみたい」。

ところがひょんなことから、夢が叶います。招待され、食べきれぬほどの芋粥を饗されたのです。「どうぞ、どうぞ」と執拗に勧められるものの、ある量を過ぎると箸が進みません。断るに断れず、匂いさえ鼻につく始末。あれほど焦がれたのに、こうなると苦痛。「芋粥を滅多に口にできなかったあの頃が幸福だった……」、夢が叶ったがために夢を失い、悄然。芥川龍之介の『芋粥』という小説です。

もし、望むものすべてを掌中にしたら、人生は味気ないもの。「あれがあればいいな」と、想像するのも楽しく、「よーし」と意欲が出てきます。目標達成後より、追い求める道中で、人はときめくもの。

暗い貧乏と明るい貧乏

実は、お金があまりない故の幸せもあるのです。

倹約の方法を家族みんなで相談。協力して物を大切にし、たすけ合いで乗り切る工夫。家族の強い絆が生まれます。お金があれば、お金で解決していたところ。

もちろん、医療や教育の機会を奪ったり、餓死に至る貧困は、人類として克服すべき課題です。

しかし、充分生活できるのに「お金がない」と不平を言うのは、心を腐らせるだけ。嘆いてもお金は降ってきません。ないならないで、その中いかに前向きに生きるか、です。

若かりし頃、布教生活を通して学んだことがあります。それは、「無一文では生きられない」「しかし、想像するより遙(はる)かに少額でも、結構生きていける」という発見でした。

『がばいばあちゃん』という映画で、おばあちゃんが孫に言います。

「貧乏には二通りある。暗い貧乏と明るい貧乏。うちは明るい貧乏だからよか。うちは先祖代々貧乏だから。第一、金持ちは大変と。いいもの食べたり、旅行に行ったり、忙しい。

ああ、貧乏でよかった」と。

しばしば財力は、その人の能力と努力の証とされ、賞賛されます。

「あの人は豪邸に住み高級車に乗る成功者。それに較べ、私の惨めなこと。あの人は『勝ち組』で、私は『負け組』……」。しかし、資産があっても苦悩する人がいれば、質素な暮らしで悠々自適、友人や家族と笑顔の絶えない日々を送る人もいます。「勝ち」「負け」など、自分の基準で自分が決めればいいだけのこと。そもそも人と比較するのが間違いです。

阪急電鉄の創業者小林一三は言います。

「お金がないから何もできないという者は、お金があっても何もできない」と。

教祖

食べ物が底をつき、水を飲んで糊口を凌がれた教祖。そんな窮迫の中、「水を飲めば水の味がする。親神様が結構にお与え下されてある」と、喜ばれます。手に掬った水を、「ああ、おいしい」と心から味わえるのも健康なればこそ。自然に満ちる水の恵みと身の内のご守護、「こんなありがたいことはないんだよ」と、さりげなく教えられたのです。病に臥せて、健康のありがたさを痛感します。食べるお米に事欠いて、お米のありがたさが身に沁みます。切り詰めた暮らしだからこそ、味わえる一杯の水のおいしさ。白状すれば、私も、「お金がもっとあればいいなぁ」と思うことがしばしば。しかし欲深い私のこと、あればあったできっと愚行を重ね、身を滅ぼしたはず。こうしてありがたく暮らせるのは、余分なお金がないお陰。

あってもよし、なくともまたよし

「貧乏であることは恥ずかしいことではない。貧乏を恥ずかしいと思っていることが、恥ずかしいことである」

アメリカの独立宣言を起草した一人、ベンジャミン・フランクリンの言葉です。

ですので私は、「お金がないのがお道の誇り！」と胸を張っています。

「お金があるのがいけない」と言うつもりはありません。「お金がなくても幸せになれる」と言いたいのです。お金があるのもご守護なら、ないのもまたご守護。親神様は、私たち各々に適量をちゃんと配分してくださっているのでしょう。
約やかに暮らしているから、言えるのです、「財産がなくても、幸せですよ」って。金満家がこれを言えば、嫌味でしょ。

9 よし、幸せになるぞ

『釣りバカ日誌』という映画で、主人公のハマちゃんは、こんな言葉で、ミチコさんにプロポーズ。「ぼくは、ミチコさんを幸せにできるかどうか、分かりません。でも、ミチコさんと結婚すれば、ぼくは、ゼッタイ幸せになる自信があります！」。

これを観た時、「なんと勝手な男だろう」と思いました。そうじゃないですか、あなたを幸せにできるかどうか知らないけど、自分は幸せになるなんて。自分のことしか考えてない！

ところが意外にも、ミチコさんは、この言葉に動かされてプロポーズを受諾するのです。ミチコさんと結婚したハマちゃんは、宣言通り、とても幸せそうです。そして、ここが肝心なのですが、そんな幸せなハマちゃんと暮らすミチコさんも、幸せ一杯です。

そうです！　幸せな人と一緒にいれば、側の人も幸せになるのです。

普通の暮らし

もっとも、何が幸せかは、人各々。客観的な基準などないのかも。

ハマちゃんの場合、「幸せ」といっても、出世や高給など特別なことを望んでいるわけではなさそうです。横を見ると笑顔のミチコさんがいて、仲の良い家庭。そして、大好きな釣りが思う存分できる——まぁ、そんな、「普通の暮らし」でしょう。

実は、「普通の暮らし」というのは、親神様の恵みの賜物。「普通に暮らしている」時は、そのありがたさに気づかず、「普通通りに」いかなくなって初めて、「あの時はよかったなぁ」と、その価値に思い至ることが多いもの。

悲観論者のショーペンハウアーでさえ、「内面的な富をもっていれば、運命に対してさほど大きな要求はしない」と述べています。

心の朗らかさ

数時間だけの満足を求めるなら、好き勝手に振る舞えばいいでしょう。しかし、生涯の幸せを望むなら、やはり、きちんと正しい生き方をしていないとダメ。

疚(やま)しいことや隠しごとがあれば、心は翳(かげ)ります。自分が不正直だと、「あいつも裏できっと……」と、相手の中に自分同様の下心を勘ぐってしまいます。善意で生きていないと、人の善意が信じられなくなるのです。ユダヤ民族にこんなことわざがあります。

「ウソつきに与えられる最大の罰は、彼が真実を語ったときも人が信じないことだ」

正直でいると、心の風通しが良くなり、勇んできます。

幸せは、心の朗らかさがもたらすもの。

ものの見方

「その服、普段のあなたより若く見えるわ」と友人に言われ、有頂天の女性。その一方で、「じゃあ、普段の私はどうなのよ！」と、憮然とする女性もいます。

高台に立ち、前方の眺望に目を輝かす人がいれば、後ろの暗い影に眉を顰める人もいます。

海辺の町に転勤になり、「左遷だ」と肩を落とす同僚の傍らで、「海釣りができる！」と小躍りするハマちゃん。

ものの見方は無数。

「不幸な人は、概して、不幸な信条をいだくのに対して、幸福な人は幸福な信条をいだく」、哲学者ラッセルの言葉です。

心理作用

だいたい、楽しくて夢中になっている時、「なぜ私はこんなことを？」と問いません。

カラオケで盛り上がっている時、「カラオケで歌って何になる?」とは悩まないもの。熱中していて、そんなことを考える暇(ひま)も必要もないからです。あっと言う間に、時間は過ぎます。

また、穏やかで、平凡な毎日。「いつも通り」時が流れ、とりたてて疑問も湧きません。記憶にも、目立つ痕跡(こんせき)は残らないかも。人生の大半は、こんな恵まれた「普通」の日々。

ところが、自信をなくし、心にポッカリ穴があくと、「いったい何のために生きてるの?」と、沈痛な問いが頭をもたげます。解答に至らず、延々悶々と堂々巡り。想像力が、不安や恐怖を煽(あお)ります。辛い思い出が心を占領、あげくに、「人生、苦しいことだらけ……」。実際には、楽しく満ち足りた時間もたっぷりあったはずなのに。

反対に、苦しかった昔を懐かしく振り返り、「充実していて楽しかった」と回想することもあります。

通常、苦楽の記憶は、現実そのままというより、心理作用で取捨選択、編集し直し、偏(かたよ)ったもの。

「成功したから満足しているのではない。満足していたからこそ成功したのだ」と、思想家アランは道破しました。

このことだけは　感謝せずにおられない

親神様は、いつもやさしく微笑んでおられるだけでなく、時に、峻厳な一面もお見せになるのは、みんなも薄々感じるところ。事実、厳しい身上や事情、不測の事故や災害に見舞われることもあります。

しかし、真っ暗闇と思えるような窮状にあっても、冷静になってよく見渡せば、「他のことはいざ知らず、これだけは、感謝せずにはおられない」ということが、少なくとも一つか二つかは、必ず見つかるはず。

「この苦しみは死ぬまで」と思えば、気が滅入ります。しかし幸いに、苦痛は永久に続くわけでなく、時とともに薄らぎます。後々にはその時の苦しさを、思い出すのも苦労するくらい。

誰しも苦境はあります。しかしそれは、人生そのものが苦しいわけではなく、「時には苦しい時もある」というに過ぎないのでしょう。

逆境時の最善策

人から受ける、心ない言葉や仕打ち。ですが、悪意に対し悪意で応戦するのは最悪。最も毅然とした態度は、敵意をもたないことです。相手の悪意に影響を受けない、天真爛漫な明るさ。肩透かしを食って、相手の方が決まり悪くなります。

逆境時最悪なのは、考え過ぎて悲観的になり、自滅してしまうこと。そんな時こそ、「悪びれず、背筋をピンと伸ばして、晴朗な笑顔！」、状況打破のための、最善策です。

いつまでしんぐ〳〵したとても
やうきづくめであるほどに　　（みかぐらうた　五下り目五ツ）

どれだけ長期にわたって信仰し、教理に精通していても、陰気で鬱いでいるなら、その信仰はどこかおかしいのでは？　苦難の最中でも、腐らず、陽気で、人に親切。それが何より、その人の「信仰の真正さ」の証。

陽気ぐらしのひながた

教祖の道すがらは、まさに「陽気ぐらしのお手本」そのものです。

教祖は、赤貧の窮苦も、中傷・誹謗(ひぼう)の雨中も、弾圧の嵐の中も、通られました。ご主人やお子様方に先立たれる哀しみも経験されます。まさにどん底の連続。しかも、齢(よわい)を重ねられるほど、環境は過酷になります。

ところが教祖のお姿から、悲壮感は感じられません。迎えの警官に食事を勧め、拘置所で巡査を喜ばすために、お菓子を買おうとなされます。いつでも自然体、麗(うら)らかで透き通るように明るいのです。私たちにとって心強い、陽気ぐらしのお手本、ひながたです。

だからみんな、教祖が慕わしいのです。どんな辛いことがあっても、「こんなことで不足しては、教祖に申し訳ない！」と元気が出ます。

雨降りの時こそ

自分の境遇を喜び感謝している人は、周りの人の心も温かくします。

とりわけ消沈している時など、その人と会うだけで、ほっと心が和みます。「雨降りの時こそ、晴れ晴れとした顔が見たいものだ」と、思想家アランの言う通り。愛する人への、最高のプレゼントは、自分が幸せを感じていること。ミチコさんを幸せにする、ハマちゃんからの素晴らしい贈り物。出直す時も、「楽しかったなぁ」と、陽気に出直せたら、どんなにいいでしょう。

幸せになる方法

幸せになるために、確実な方法があります。

それは、誰かのために力を尽くすこと。

人の力になりたいと打ち込む時、自分でも驚くような力が出てきます。自分は誰かの役に立っている、自分の努力が誰かに希望を与えている、それがエネルギー源。人を喜ばそうと心と体がフル回転する時、その人は人として、最も美しく輝きます。ブランドの洋服や高級化粧品、エステにお金を遣うより、はるかに効果的。表面だけでなく内面からきれいになるからです。

幸せになるのに、難しい理論も哲学も要りません。人を幸せにすれば、自分も自然に幸せになる、親神様はそのように人間をお創りになりました。「人たすけたら、わが身たすかる」のです。

人を幸せにすれば自分も幸せになり、そしてその結果、もっと人を幸せにできる！　たすけ一条の教え、陽気ぐらしの教え、本当にすごいと思いませんか。

大和伝統野菜
片平あかね

第2章

人間関係

10 この人はいい人？ 悪い人？

「あの男、私に〝お前また太ったな〟と言うの。憎たらしいったらありゃしない！」
「でもこっちの奥さんは、私を見て、『最近、少し痩せたんじゃない？』って、言ってくれたの。あの奥さんって、ホンマいい人やわぁ！」。この女性にとって、「太った」と言えばひどいヤツ、「痩せた」と言ってくれれば、いい人。すごく、わかりやすい……。

A子は、後輩には「上から目線」でエラそう。だから後輩はA子が嫌い。でもそんなA子も先輩には愛想良く、従順。だから先輩は、A子が可愛いのです。上司にはペコペコ媚びへつらうのに、部下には尊大で横柄。相手によって態度をガラリと変えるそんなA子が、後輩にすれば許せません。先輩にすればA子は「よい子」ですが、後輩にとっては「嫌な人」です。

私たちはよく、「あの人はいい人」とか「悪い人」と評価しますが、案外、自分の都合にとっての〝良い〟〝悪い〟ではないでしょうか。良い気持ちにしてくれるのが「いい人」、気分を害されれば「悪い人」。

いつも、「いい人」だけと顔を合わせて暮らせればいいけど、なかなかそうはいかないもの。

だいたい私たち自身、何を言われても怒らず、相手の発言に反対せず同意、頼まれ事はいつでも喜んで引き受ける――、そんな「いい人」でいるでしょうか？

人間模様あれこれ

幼くても、相手の気持ちを察し、自然にやさしい心遣いをする子もいます。一方、いい大人でも自分のことしか考えない人もいます。

相手に譲って、結局相手に不足を残すことがあります。反対に、自分の思いを貫いて、相手を満足させることもあります。

二人で仕事をして、相方だけが誉められると、「お前はダメだ」と言われているようで、おもしろくありません。

人を怒らせるのは簡単。相手が笑顔で会釈したとき、黙って無視するだけで、相手はムカッ。

私たちの悩みの多くが、対人関係にまつわるもの。子供でも、「人と人は仲良くすべき」と知っています。ところが大人でも、人と仲良くするのは、むつかしいのです。人間がこの地上に誕生して以来、争いは絶えません。不和の種は、地雷のように日常至る所に潜んでいます。

各々のルール

ここに二人のベテラン主婦。各々ご飯の炊き方にこだわりがあります。そんな二人が一緒にご飯を炊こうとすると、駆け引き合戦勃発。「手伝ってもらうより、自分一人の方が楽」ということに。

人はみな、自分のルールを持っています。「これはこうすべき」と譲れない線。問題は、このルールがみんな違っていること。

人は右側通行と思う人と、左側だと信じる人が交差すれば、衝突するのは当然。「普通こうよね。なのにあの人ときたら！」。その「普通」が人によって違うのに。同じ平面を進むから、ぶつかるのです。立体交差点のように、低い心になって相手の下をかいくぐるか、大きな心になって、相手の頭上を通過すれば、事故は回避できるのに。教祖は、「世界の人が皆、真っ直ぐやと思うている事でも、天の定規にあてたら、皆、狂いがありますのやで」とおっしゃいました。

人の数だけ違った定規があり自分の定規も数ある一つに過ぎないこと。自分の定規が絶対に正しいという保証はなく、癖性分による歪（ゆが）みもあること。世界は、人間に計り知れない「天の定規」に沿って動いていること。「人には人の考えがある」「人はこちらの思い通りにならない」と心に銘記しておきましょう。

家族

外で嫌なことがあっても、家に帰れば心和みます。自分のためならできないことも、家族のためなら頑張れます。頼りになるのは、やっぱり家族。

そんな家族ですが、揉（も）めるとやっかい。

他人同士であれば、マナー通りに振る舞っておけば、波風は立ちません。「あの人、苦手」と思っても、短い時間なら我慢できます。二〜三時間会うだけなら、みんな〝いい人〟です。

ところが、家族となれば、そうはいきません。

外で人に会うときは、お化粧もし、身だしなみにも気を遣います。一方、家の中では「素の自分」のまま。

ここに落とし穴。

親しさに甘え、つい相手の気持ちも考えず、「ナマのまま」をぶつけがち。でも家族とはいえ、感情をもつ人間。疲れていれば、普段なら気にならないことも、カチンときます。これが発端。お互いの裏表を知り尽くすだけに、弱点を、ピシリと攻撃。痛くない腹を探られるのは嫌ですが、痛い所をぐさりと突かれるのは、もっと嫌。骨身にこたえます。まして血縁であれば、気質的な長所も短所も似ています。自分の中で「嫌だなぁ」と思っている性分を相手の中に発見すると、もう許せません。こじれて骨肉の争いとなることも。殺人の四割は、家族によるものだそうです。

思いやりさえ忘れなければ、家族は人生の宝物。

やまあらし

ショーペンハウアーという哲学者は、こんな寓話（ぐうわ）を紹介しています。

「寒い冬の日、やまあらしの仲間が、体を寄せ合いお互いの体温で凍えるのを防ごうとした。けれども、相手の棘（とげ）が刺さって痛みに耐えられない。そこで体を離すことに。ところがやっぱり寒さに我慢できなくなり、温もりを求めて寄り合うと、再びお互いの棘に苦しめられる。こうして寒さと棘の二つの苦しみを、かわるがわる味わい続けた」

他者と距離を置くというのも、一つの知恵。しかし、それで問題解決かといえば、そうでないのがむつかしい……。

人間は本質的に社会的な存在です。

確かに人と人が一緒にいれば、軋轢（あつれき）も生じるもの。人と共に暮らすには、多大なエネルギーを費やします。

しかしそれでも、人と交わらずして、明るく陽気な人生になりません。

人と会うのを嫌い、独り部屋に閉じ籠もれば、心は干涸らびるか、依怙地になるか——才能も燻ったまま。

もともと人間は、独りで生きるようにはできてないようです。胸の内を打ち明け、意見を求め、励まし励まされ、笑い合い、競い合って、生きる元気が湧いてくるのです。人に喜んでもらうと、無条件にうれしくなるのが人間。

イガをむいたら

教祖は、「栗はイガの剛いものである。そのイガをとれば、中に皮があり、又、渋がある。その皮なり渋をとれば、まことに味のよい実が出て来るで」と仰せられました。

だいたい居丈高というのは、自分の弱みを見せまいと虚勢を張った姿。敵に対する猫が、毛を逆立て、大きく見せて威嚇するようなもの。心に纏うイガは、その人がこれまで、人の悪意に傷つき、耐えてきた哀しみの痕跡。味わった絶望の深さだけ、イガは固く鋭くなっています。

だから、力づくで相手のイガをこじ開けようとすると、逆効果。それより、カラリと屈託なく挨拶すれば、双方のイガがつるんと剥けて、ほっこりとした人柄が顔を見せることがあります。意外にいいやつだったんだ……。

砥石

不思議に馬の合う人もいますが、相性が悪く目の上の瘤のような人もいます。しかしそれは、親神様がわざわざ選んで遣わされた人。だからその人を避けても、やはり行く先々で同様の人と出会うでしょう。

刃物の切れ味を保つには、刃先を研ぐ砥石が入り用です。人間にも、「砥石」が必要なのです。こちらの耳に快いことしか言わない「いい人」に囲まれていると、確実に鈍麻します。

いちいち楯突き、神経を逆なでする人、実はそうした人は、私たちの人格を高める砥石。研がれる側にすれば、身を削られるので、痛みも伴います。しかし、砥石に磨かれて、キラリと光を放つことができるのです。

陽気ぐらしにとって、人間関係が鍵

いくら地位や財産に恵まれても、諍いが絶えず、家庭で揉めていて、どうして陽気になるでしょう。一方、身上を抱えお金に苦労していても、心許せる人がいて笑い合えれば、毎日を感謝しながらうれしく暮らすことができます。

良好な人間関係があれば、自然に陽気になるもの。

人との出会いは、親神様のおはからい。出会う寸前まで、どこでどんな人と出会うのか、予想できません。しかし一旦出会った後は、どんな関係を築くか、人間努力の領域。

人と良好な関係を享受している人は、自分自身との関係も良好な人です。

教祖

教祖は、あらゆるものを貧しい人に施されました。ところが施すものがなくなると、恩恵を受けた人でさえ、教祖を嘲ったそうです。不思議なたすけに浴した者でさえ、後で掌を返すかのように、教祖を裏切ることもありました。

しかし教祖には「いい人」も「悪い人」もありません。迫害する巡査に対しても、「反対するのも可愛い我が子」と、温かい眼差(まなざ)しを降り注がれます。教祖のあふれるようなやさしさには、凜(りん)とした強さが脈打っています。

教祖に接した人は、みんなやさしい気持ちになりました。その人の最も美しい心根が、教祖の温かさに触発されて、堰(せき)を切るように表われてくるのです。

そうです。ひながたを思うと、心が浄化されて、人を好きになるのです。

11 人と人との化学反応

「今年の夏は暑いねぇ」

「いやいや、去年の方が暑かった」

「あの俳優、格好いい！」
「私は嫌い」
「この店のラーメンは旨い！」
「あの人はまずいと言ってた」

人の発言に対し、いちいち否定してかかる人。当人に悪気はないのですが、誰かが白と言えば条件反射的に黒と答えます。もともと「ノー」という定見があるわけでなく、相手が「イエス」と言うから、「ノー」と言ってるだけ。

一方、反駁された側。挨拶代わりの軽い話題とはいえ、否定されたらプライドが許しません。猛然と、「今年は去年より暑いっ」と力説。すると相手も、こちらの発言を遮り、声を荒げて大反撃。

そもそも双方が、「私は正しい。お前は間違い」という前提から始まる議論、始めから他人の見解など毛頭聞く気なし。なにしろ結論は各々論戦前から決まっているので、どこまで行っても平行線。事の是非などどこかに吹っ飛び、言い分が通るか通らないか、勝ち負けの問題です。

「だいたいお前の考えは幼稚だ」
「なにぃ、俺のどこが幼稚なんだ！」
争いの原因など、第三者にすれば、「えっ、そんなことで？」ということもしばしば。

恨み

激情に駆られて口走った暴言。音声は瞬時に消えても、屈辱感（くつじょく）は相手の胸に根を下ろします。その一言が、両者の仲を修復不能にすることも。

相手の顔を思い出す度、忌々（いまいま）しさが募り、体が震えるくらい。ところが先方は、こちらがどれだけ恨もうが、痛痒（つうよう）なし。苦しいのは自分だけ。

ある思想家は、「執念深い憎しみは、内的生活を蝕み、相手よりも当人の心を害う（そこなう）」と明言しました。

人を恨む時の人相の陰惨さ、せっかくのお化粧もおしゃれも台無し。恨みを抱えたまま陽気ぐらしは無理。

どうしてもあの人だけはダメ

不思議に馬の合う人もいますが、やっぱり相性の悪い人もいます。話が噛み合わない、言うこと為すこと癪に障る、できれば顔を合わしたくない……、気持ちは正直。

しかし、〝いい人〟だけと暮らせればいいけど、そうもいきません。

会社や政治や外交も、世の多くの事が、案外人の好き嫌いで動いているのかもしれませんね。

文豪ドストエフスキーは小説で、若い医師にこんな告白をさせました。

「空想の中では、人類への奉仕という情熱的な計画を立て、命を捧げるのも厭いません。ところが、相手が誰であれ一つ部屋に二日と暮らせないし、誰かが近くに来ただけで、その人の個性が私の自尊心を圧迫し、自由を束縛するのです」

これを読んで、ドキッとしました。

私は日々教祖に、世界中の人の幸せを祈っています。しかし、目の前に苦手な人が現れると、途端に底意地が悪くなり、嫌みの一つもついポロリ。「世界中の人」というのは想像上ですが、「目の前の人」は、痛みを伴う現実です。子供でも「みんな仲良くすればいい」と知っています。しかし大人でも、実際に仲良くするのは本当に難しいのです。

ジャガイモの皮

人と人が一緒にいれば、軋轢（あつれき）や葛藤（かっとう）が生じるもの。人と共に暮らすには、多大なエネルギーを要します。

しかしそれでも、人に活力を与えるのは人。心が繋がり、時に絡まり、時にぶつかり、時に共鳴して、生きる意欲が湧出、毎日が輝くのです。

親神様はしばしば、気性の合わない者同士を一カ所に集め、揺さぶられます。ちょうど、ジャガイモを一つのバケツに入れ、ゆっさゆっさと揺さぶって、皮を剥（む）くように。ある瞬間、双方の薄皮がつるんと剥けて、ほっこりとした人柄が顔を見せます。意外にいいやつだったんだ……。

多分、百パーセント善良な人も、百パーセント邪悪な人もいないでしょう。強情で素直、狷介(けんかい)で円満、冷淡で優しい、そんな混合物が人間。人の善い面だけを見て、人を愛するのは難しくありません。しかし欠点も知り、慈しむのが、愛。

人類の母教祖は、私たち人間の光と陰、清と濁、裏と表をご承知で、すべてを懐に抱きかかえ、許し、愛してくださるのです。

今、世界で猛り狂う憎悪の炎。どうか一刻も早く鎮まりますように。

12 思い通りにならないもんだ

「なぜ命じた通りしない！」

指示通りでなかったことが面白くなく、相手をなじります。叱られた方は悪意あってのことでなく、その人なりに工夫しただけ。罵声(ばせい)を聞きながら、心中憤慨。

しかし怒鳴っている側は、相手の仕事云々より、指示を無視したことが許せないのです。まるで自分が軽視されたと感じるからです。

ところが、人に「こうしろ」と命令する人も、立場が替わり、誰かに「こうしろ」と注意されると、「俺に指図するな」と怒り出します。重ねて指摘されると、意地でも自分のやり方に固執。

「言う事を聞け」と考えを押し付け、「言う通りにしない」と腹を立て、「命令するのか」といきり立つ。ああ、なんてやっかいなヤツ……。

いったい誰のことかって？

決まっているでしょ。もちろんこの私、私です。ああ、情けない……。

違うルールで生きている

「自分の判断が一番」と決めてかかり、おせっかいにも、それを人に強要。しかしいくら良案でも、無理強いされたら迷惑です。

太郎さんは野球が、花子さんはサッカーが好き。太郎さんがマウンドからボールを投げようとすると、花子さんは「ボールを手で触ってはダメ」と怒り、花子さんがボールを蹴(け)ってゴールへ突進すると、太郎さんは「まず一塁へ走るのが規則だ」とカンカン。

「普通、こうすべきだろ！」

しかし、その〝普通〟が、みんな違っているのです。

人にはそれぞれ譲れない信条があります。それを他人に適用、「ルール違反だ」と、目を剥(む)くのです。

犬連れの人を見かけます。路上にでんと腰を下ろしテコでも動こうとしない犬、その犬を何とか歩かせようと、飼い主は汗だくです。飼い犬でさえ、こうなのです。ましてダンナや嫁や息子や娘が、言う事を聞かないのも仕方ないか……。

そもそも〝腹が立つ〟というのは、自分の思惑が外れる時。

私たちは、人に勝手な幻影を抱きます。いつも私の心情を理解し何でも賛成、頼み事はすべて快く引き受ける。でもそんな人って、現実にいる？　相手への要求度が高いほど、その期待が外れる確率も高いもの。そしてあてが外れると、「裏切られた」と激昂。

人は、高い地位に就(つ)くほど、他人を思い通りにしたくなるのかも。独裁者の悪癖(あくへき)は、皆に服従を求め、抵抗する者を弾圧し出すことです。

賢哲の声

こちらの意向通り動いてほしいなら、力任せというのは拙劣（せつれつ）なやり方。

「相手に聞き入れられるためには、善意をもって語ることが必要である。たとえ正しい理屈でも、怒りをもって言い放てば、それは逆効果になって相手に伝わらない」（トルストイ）

「自分のことと同じくらい他人のことがわかっていない限り、他人の行動を指図するなんて、できっこない」（モーム）

「自分自身と調和がとれている人は、他人を操作しようなどとは思わない」（現代イタリアの哲学者）

「自分の心を支配することのできないものに限って、とかく隣人の意志を支配したがるものだ」（ゲーテ）

一人ひとりに心の自由がある以上、人は人を操縦できません。人を変えられないなら、こちらの考えを変えるという手があります。人間関係は、相手がどうと言うより、自分の問題。

「人は思い通りにならない」、これを肝に銘じるだけで、対人関係は、格段に向上するはずです。

おたすけ名人

あるおたすけ名人に、こんな話を聞きました。

「もしあなたが、身上・事情で苦しむ人にたすかってほしいと願い、その人が三角形を描けばたすかる、と気づいたとする。そこでその人の手を掴み強引に、三角形の二辺までは一緒になぞってもいい。しかし、三辺すべてではいけない。少なくとも最後の一辺は、本人が心を決め、自身の意志で描き込まねば、その人はたすからない」

信仰は、強制ではありません。自ら志すからたすかるのです。求めてこそ、糧となり喜びとなります。

13 職場の人間模様

会社で働くお父さんやお母さんは、毎日大変。

上司は独断的で、部下の意見に耳を貸しません。社長にはペコペコするくせに、部下には尊大。おまけに細かい事にいちいち介入、うるさいこと。また部下は部下で、こちらが何か言えば、すぐに反論。仕事を頼むのも、ビクビク気を遣う始末。

しかも、です。疲れて家に帰れば、ダンナや妻の態度は棘（とげ）だらけ。息子や娘は親の存在を完全無視。ああ、どこにも自分の居場所がない。ひとりカラオケで憂さを晴らすか、ペットに癒してもらうか……、トホホ……。

人間関係が荒（すさ）んだ職場では、仕事がなくても疲れます。むしろすることがあった方が気が紛れて楽。会社に行くのも憂鬱（ゆううつ）です。人間関係が良好なら、仕事がきつくてもやりがいがあるのに。

誠実なけんか

勉強の成績が良かった人が、必ずしも社会で成功するとは限りません。勉学は、基本的に一人で取り組むもので、一人の頭の中で完結します。ところが社会に出ると、頭が良いだけでは通用しません。何をするにも相手が存在するからです。非凡な構想を思いついても、周りの協力を得なければ、実現できないのです。ただ頭が切れて論争に強いだけなら、敵を作り、疎んじられ孤立。他人とうまくやる能力が問われます。

とは言え〝なぁなぁの仲良しクラブ〟では、卓越した仕事はできません。お互いに遠慮し、言いたい事も控える、それでは中途半端な代物になるだけ。時に火花を散らし、誠心誠意ケンカをするのも有益。本気で激突する時のエネルギーが壁をつき崩し、予期せぬ何かが生まれるのです。敵を作ることで力を発揮、大きな成果を達成する人もいるくらい。

ただし、腹蔵なく意見を闘わすには、普段からの信頼関係が不可欠。それなく思いの丈をぶつけると、感情問題に発展、企画も空中分解。丁々発止の根底に、お互いへの敬意が欠かせません。そして一戦を交えた後は、ノーサイド。

みんな苦労している

「智に働けば角が立つ。情に棹させば流される。意地を通せば窮屈だ。兎角に人の世は住みにくい」

夏目漱石は、有名な小説を、このように書き出しました。

確かに、理屈を大上段に振り回すと、人の不興を買います。かといって周囲の顔色を窺うばかりだと、為すべきことも為し得ません。我を通すと周囲との摩擦でボロボロ、本音を封じると、内にこもって窒息。無理に適応すると〝自分〟がなくなり、抗うと〝自分〟が潰れるのです。

譲りに譲って、相手を不足させることもあれば、逆に、こちらの意向を通して相手を満足させることも。

状況が変わると、敵味方も入れ替わります。「いい人トップテン」や「悪い人トップテン」の順位も、ころころと変動。

人生、悩みの多くは、人にまつわる事かもしれません。おそらく、人間関係で悩んだ事のない人など、いないでしょう。心の病や体調不良の原因も、対人ストレスが多いのでは。冒頭の上司も部下も家族も、特別な悪人ではありません。みんな、ごく普通の市井人。

人の喜ぶ顔を見ると、自然に幸せな気持ちに

教祖のご在世当時、日本の人口は三千万人と言われます。現代はその数倍。当然、密集すれば人と人とがぶつかる率も上がります。人類が複雑な組織を作って暮らすのは、進化史上新しく、まだ心が環境に追いつかないのかもしれません。

ひたすら「我慢、我慢」というだけでは続きません。

そこで、おたすけの心、ひのきしんの心です。人に喜んでもらおうと、積極的に人に関わっていくのです。

人の生きる力を奪うのは人ですが、同時に力を与えるのも、人。私たちは、人の役に立てた時、無性にうれしくなります。人の喜ぶ顔を見ると、自然に幸せな気持ちになるのです。親神様は人間を、そのようにお創りくださいました。周りを明るくし自分も元気にな

る生き方を、教祖が教えてくださいました。

これは、時代が変わっても、人口密度が高くても、揺るぎません。むしろこんな今こそ、必要な教えです。

14 違っているからいい、同じ人間だからいい

旅人があぜ道を歩いていると、土中の穴にモグラがいます。「君は、そんな狭くて暗いところにいて、気が滅入るだろう」。その人は、親切にもモグラを土の中から引き上げ、地上に出してあげました。

ところが当のモグラは、光がまぶしく目が痛み、おまけに天敵に見つからないかと不安でなりません。なにも土中が嫌なわけでなく、むしろお気に入りの住処（すみか）なのに。

お互いは違っている、相手には相手の都合がある、見境なく自分流を押し付けない、これを失念すると、こんな愚を犯しかねません。

多様性

「神様はバラエティーがお好きです」

新聞の投稿欄に掲載された小学生の言葉です。

確かに世界は多様性に満ちています。例えば、地上に繁茂する数多の木々、その木を覆う無数の葉。その葉っぱも同じものはないそうです。十把一絡げにされず、一枚一枚に応じた姿を与えられる親神様。その深いご配慮に感銘します。

まして人間。

顔や姿形はもとより、体質や気質も違います。一匹狼がいれば協調型もいます。行動パターンや物事の優先順位、「これだけは譲れぬ」というこだわりも違います。

近世オランダの哲学者スピノザが、「人の好みはそれぞれで、あの考え方の方が馴染むという人もいれば、この考え方の方が落ち着くという人もいる」と言う通り。

もしもみんなが、好きな異性のタイプが同じなら、大変。一人の美女やイケメンを、大勢で奪い合うことになります。蓼食う虫も好き好きだから、うまくいきます。

「がんばれ！」と励まされ奮い立つ人、激励されると萎縮する人。

仕事を任され意気に感じる人、「負担が増えた」と文句を言う人。

仕事を減らされホッとする人、「もっとできるのに」と憤慨する人。

銀メダルを獲得し歓喜する人、「金メダルが取れなかった」と肩を落とす人。

元気な盛り上げ役の同僚を好ましく思う人、鬱陶しいと避ける人。

「暑い」とエアコンの温度を下げる人、「寒い」と膝掛けを取り出す人。

「みんなと同じじゃない」と自分を責める人、「みんなと同じじゃない」と胸を張る人。

「昔はよかった」と現状を嘆く人、「昔はひどかった」と今を喜ぶ人。

感じ方や反応は千差万別。世界広しといえど、二人として同じ人間はいないようです。

競争馬

違うがゆえに齟齬や仲違いが生じます。しかしそれでも、〝一人ひとりが違っている〟

というのは、素晴らしいことなのです。

レースの競走馬なら、「いかに速く走るか」だけが、その馬の値打ち。しかし人間は違います。

走るのは遅くても、勉強のできる人。

事務は不得手でも、力仕事で本領を発揮する人。

神経質で弱気だけど、細かなところまで気配りできる人。

料理はダメでも、掃除は達人という人。

怒りっぽくて怖いけど、情が厚くて面倒見の良い人。

口は悪くても、やるべきことはきちんとやる人。

頑固で融通が利かないけど、ここ一番頼れる人。

茫洋としていても、事の本質を見ている人。

自分で考えるのは得意でなくても、決められた職務は忠実にこなす人。

規則に縛られるのは苦手でも、自由にさせたら大きな働きをする人。

奔放で扱い難いけど、人を笑わせたら天才的な人。

不器用だけど、周りを和ませ安心させる人。

議論は弱くても、人を許すのは上手な人。

お金儲けはからっきしでも、人を深く愛せる人など。

競走馬と異なり人間には、徳分を活かす分野が無尽蔵。他の人と違うから、〝私〟の存在価値があるのです。その人固有の性質が、人の役に立ったら「個性」、人を不快にさせたら「癖性分」です。

共通基盤

そんな多種多様な人間ですが、しかし、文学者や哲学者が、その人の個性をギリギリまで掘り下げて、核となる基底部分に到達すると、それは普遍的な人間性に通じていて、民族を超え時代を超えて多くの人の共感を呼びます。

そうです。私たちは様々な違いはあっても、人間としての共通分母を分かち合っています。「元初まり」で、一対の夫婦の雛型から誕生した私たち。いかに違っていようが、根っこはつながっているのです。

誰かの笑顔を見れば、「この人は喜んでいる」とうれしくなります。怖い顔つきであれば、「怒っている」と警戒します。涙を流していれば、こちらまで辛くなります。異なる文化に暮らし、異なる言語を話し、異なる料理を食べ、髪の色や肌の色が違っていても、共鳴し合えるのです。

もちろん、相手が何を考えているのか、本当のところは分かりません。時に、モグラを地表に引っ張り出すような的外れもしでかします。しかし、分からないなりに、相手を思い想像力をフル稼働する努力が、心と心をつなぐのです。

毛糸

寒い冬にはセーターが重宝。セーターを虫眼鏡で見ると、縦横に編まれた毛糸と毛糸の間は、〝穴〟だらけ。私たちの体温が穴の空気を温め、その暖気がまた体を温めます。

人との間にも、やはり隙間があります。いくら親友とは言え、均質の人間がべったり融合しているわけではありません。ドイツの作家ヘッセは言います。

「二人の魂を一つに溶け合わせることはできない。それぞれの魂はそれぞれのものだ。だが、二人が力を合わしたり、慈しみ合うことはできる」網の目を広く空け自由を好む人もいれば、ぎゅっと詰まった編み目がしっくりくる人もいます。心地良い間隙は、人それぞれ。それでもやはり、セーターの穴のように、人と人との隙間が人を温めるのです。

同質性と異質性

同じ人間だから、喜怒哀楽を共有できます。同時に、各々が違うから、互いに学び合い尊敬し合えるのです。世界は、違いを無視できるほど単純ではありません。

とは言え、相手を異質なものとして排斥するのは間違っています。

人と人、民族と民族が仲良く暮らすには、相異なる部分と相通じる部分の両方を、受け入れねばなりません。異なる人への寛容さと、「一れつ兄弟姉妹」という真実に基づく人間愛です。それがあれば、多様性は争いの種ではなく、無限の発展へと導く夢の扉です。

普遍性と個別性。親神様のなんとも見事なお計らいに、目を見張ります。

15 一手一つになる方法

百人の大オーケストラが、交響曲を演奏しています。澄んだ音色、心に染み入るハーモニー。聴衆はうっとり聴き入ります。

と、その時突然、ハッ、ハッ、ハッ、ハックショーン！　シンバル奏者が大くしゃみ。会場は一瞬凍りつきます。眠っていた人も、「えっ、えっ、何が起こった？」と、目を覚ましました。あちゃー、せっかくの演奏が台無し。彼はひどい花粉症だったのです。たった一人、たった一回のハプニング。そんな小さなことで、百人の一手一つの努力が水の泡。

空中分裂

でも、こんなのは、まだまし。シンバル奏者の悲劇は、悪意ではなく、事故みたいなものだからです。

本当に怖いのは、これ。

著名な演奏家が集まってリハーサルをしています。しかし、手練(てだ)れが揃うとエゴ炸裂というのは、よくある話。「なぜあいつが第一ヴァイオリンで俺が第二なのだ」「トランペットの若造は生意気だ」「あの老いぼれビオラめ。気位ばかり高くて、演奏はお粗末なくせに」と、それぞれ心の中で不満タラタラ。

一人ひとりは凄腕(すごうで)なのに、集合した途端、音楽どころか、出てくるのは耳障りな不協和音。なまじっか力がある者の内輪揉(うちわも)めは、余計やっかい。

で、内部分裂。あえなく公演中止。

太郎さんと次郎さんの協力

力自慢の太郎と次郎が、水を満たした大きな水槽(すいそう)を運ぼうとしています。水中には高級金魚が泳ぐ、まるでタンクのような巨大な金魚鉢。二人はよいしょっと、持ち上げます。ところが、太郎はそれを右に、次郎は左へ運ぼうとするのです。怪力二人が、それぞれ逆方向に引っ張り合い。両者ムキになり、水槽はビクとも動かず宙に浮いたまま。と、二人の手が滑り、水槽はコンクリートの上に、ガッシャーン。あ～あ、水槽は割れるは、水はこぼれるは、金魚は路上でパクパクするは――。

力持ち二人だから、一手一つに同方向を目指せば、簡単に運べるのに。

二人の協同作業で一たす一が二にならず、水槽を落とし運搬を失敗して、成果ゼロ。あげくに水槽と金魚を失うという甚大なマイナスになった例。

漁夫の利

遠い昔、中国の趙（ちょう）と燕（えん）という国が敵対していた頃のこと。燕の王が趙の王を訪れこんな話をします。

「ハマグリが口を開けて寛（くつろ）いでいると、そこにシギが飛来、ハマグリの肉を啄（ついば）もうとした。ハマグリは瞬時にシギの嘴（くちばし）を咥（くわ）え、殻を固く閉じた。嘴を挟まれたシギは、ハマグリを怒罵（どば）。『俺に押さえられているお前は動けない。今に干上がり、お前は死ぬ。口を開け』。しかしハマグリも負けていない。『お前の方こそ、嘴を挟まれ、どこに飛ぼうが何も食べられない。飢え死にだ』。双方強情で、身動きできない。そこに漁師がやって来て、争っていたハマグリとシギの両方を、労せず捕獲。今、我々燕と趙が、シギとハマグリのように争っていると、秦が来て漁夫の利を得るだろう」と、停戦を持ちかけました。それを聞き、趙は、燕への攻撃を中止したと言います。

会議は踊る

人が集まるところ、揉め事はつきもの。

権力や武力で抑えようとすると、強い反感を誘発、事態は泥沼化。死闘をくり返し、果てはシギとハマグリのように共倒れ。

そこで話し合いなのです。

現代、国や企業などあらゆる組織が、会議に多くの時間を割きます。意思疎通を図り、衝突を回避する知恵。広く意見を聞き、意思統一を図ります。いわば、一手一つになるための有力なプロセス。

ただ、「誰もが納得、いつも満場一致で可決」とはなりません。各自の立場、思惑や価値観が異なるからです。自分の信念に反することに、そう易々と妥協できません。

一対一で話すと穏やかで人の話によく耳を貸す人が、会議となると一転、頑迷に。負けず嫌いの好戦家がいれば、生理的に争いを好まぬ人も。強引に議案を通そうとする人と、意地でも阻止しようとする人。パフォーマンスに走る人や、毒ある僻見(へきけん)を言い放つ人、不服でも黙っている人や、関心がなく早く帰宅したい人もいます。そこに利害が絡み、プライドが入り乱れます。

会議で口にした意見。しかしそれを、誰かに頭から否定されれば、闘争心に火がつきます。すると議論は、事の是非を諮(はか)るより、勝ち負けの問題に。相手の鼻をへし折ろうと躍起になります。

「この件は、こう進めるのが妥当」

「笑止千万！　見当違いも甚だしい」

「黙れ、分からないくせに」

「何を！」

「何だ」

そして人格否定合戦に突入。論点が飛散し、議論が迷走、当事者も何が何やら分からなくなっています。一方、他の出席者は、すっかり白けています。

会議の目的は、相手を打ち負かすことではなく、合意に到ること。完膚なきまでにやり込めたところで、相手の胸に屈辱感を植えつけ、敵を一人増やすだけ。足並みを揃えるための会議が、決定的不和の原因に。

会議は、人間観察にもってこい。言葉遣いや態度に、普段は見えないその人の本性が露呈するからです。かく言う私も、これらどの役柄も演じた覚えあり。

「われ先に高くよじ登ろうとして、引っ張り合って、いっしょに泥沼に落ちていく」

哲学者ニーチェの言葉です。

一致団結する方法　その一

「一手一つになろう」と口で言うのは簡単。しかし実際は、すこぶる難しいのです。しかも、それを維持するとなれば、至難。

そこで、秘策があります。共通の敵を持つことです。

「漁夫の利」の喩えを思い出してください。秦という敵が燕と趙を結びつけたように、対立する二つの国家が同じ敵と闘っていれば、協力も可能です。反目していても協定を結び、敵国に相対します。外交の鉄則です。

また、擾乱する国内を束ねるため、外敵の脅威を喧伝するのは、内政の常套手段。国民の注意をそちらに向け、不満から目を逸らせます。敵は強いほど好都合。憎悪が煽られ愛国心が高まり、いつもは仲の悪い人たちも大同団結します。

ユダヤのことわざに、「犬の群れは犬だけ置いておくとお互いにけんかするが、狼があらわれるとお互いのけんかをやめる」とある通り。

一致団結する方法　その二

もっと良い策があります。共通の目標を持つことです。

例えば、スポーツ。野球部員は、甲子園での優勝目指して一丸となります。ラグビーチームも、ワールドカップ上位進出を目指し固く結束、ワンチームに。仲間のミスをかばい合い、一体となって躍動する姿は、見ていて清々しいもの。どんな競技も国際大会ともなれば国をあげて一喜一憂、偉業が叶うと、国中が手を取り合って喜びます。スポーツの魅力の一つは、選手や観衆として、一手一つの人間ドラマを体験できること。協調するには、みんなが力を寄せる〝軸〟が必要。軸となる高い目標や志に共鳴し、自発的に参画するから、それぞれの個性が融合、目覚ましい働きが生まれるのです。強制されたら、やりがいや意気込みは萎(しぼ)みます。

ようぼく

人間は自己保存の本能が強く、利己的なのかもしれません。

しかし同時に、人に喜んでもらうと無条件でうれしくなるという天与の美質もあるのです。これが、人と人を結びます。他人同士が協力することで、人類は、自然環境を生き抜き、今日の文明を築いてきました。

とりわけ、ようぼく。私たちには、世界たすけという共通の大目標があります。困難は承知。しかし挑戦する値打ちあり。大きな目標だからこそ、多くの人が参集します。

災害救助ひのきしん。隊員たちは、被災した人を思い、われを忘れて一糸乱れず動きます。また、こどもおぢばがえりひのきしん。子供たちを笑顔にしようと、教友同胞ががっちり肩を組みます。報恩感謝と利他の心が合体して、個々の総和を遙かに超える、魔法の〝一手一つパワー〟が発現します。

おつとめ

二種類の祈りがあります。一人の祈りと集団の祈りです。

家族の身上や自身の精神的危機、一刻を争う非常事態、真夜中に神殿に走って、親神様と教祖に一対一で向かい合います。全身全霊を込めた祈り。ピンと張り詰めた緊張感が漂います。

また、大勢の人々が心一つに、親神様と教祖にお願いとお礼を申し上げる祈りがあります。

そうです、お道の信仰は、個人信仰に留まりません。「講を結べ」と仰せのように、人が集まり触発し合い、相乗効果で一層勇む信仰でもあるのです。

だからおつとめです。

月々のおつとめには、教会に人が集まり、みかぐらうたを共に唱えます。そこに鳴物が加わるのは、一人ではなく多人数でつとめるから。旋律と拍子に合わせ、歌う人、鳴物を奏でる人、踊る人が一つになります。親神様に心を繋ぐことで、親神様が私たち相互を、しっかり繋いでくださるのです。

そしてかぐらづとめ。かんろだいという〝芯〟を中心に向かい合い、十人のつとめ人衆が各々の手を振り、親神様のお働きを再現します。神苑を埋める人々が、心を揃え声高らかに唱和。まさに一手一つの理想形。世の治まりを願う真心が融和して、爆発的なエネルギーが噴出します。

国内外の醜怪な争い、職場や家庭でのごたごた。一手一つのご守護を頂くには、個別の取組に加え、おつとめに心を込めるのが、一番。

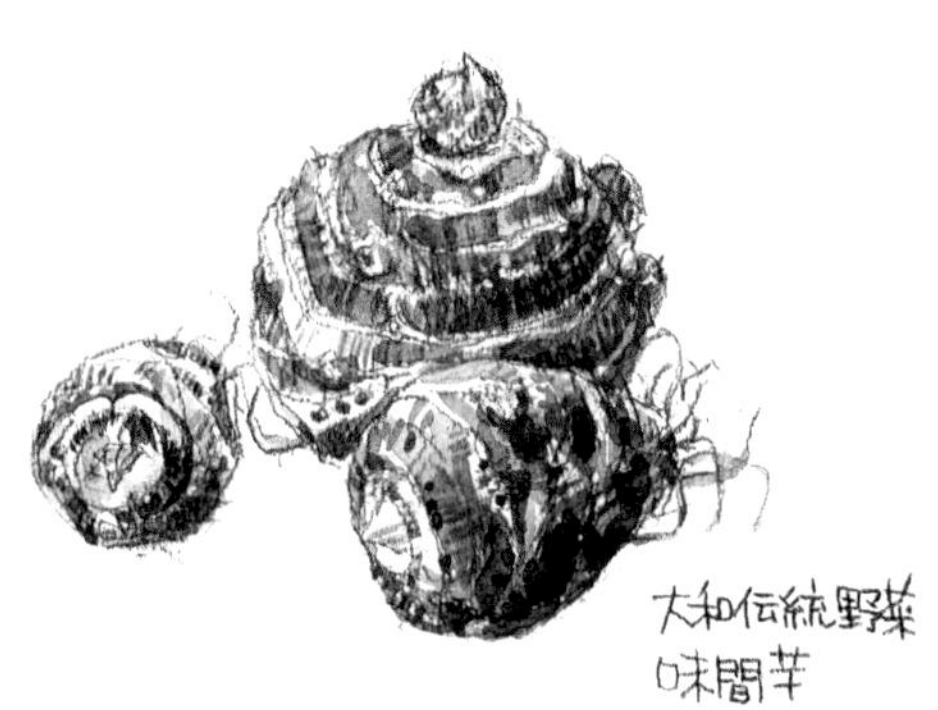
大和伝統野菜
味間芋

第3章

心

16 自由な心と不自由な心

「心一つが我がの理」と教えられます。しかし心って、本当に自分の思い通り自由になるのでしょうか?

「落ち着こう」と思ってもますます焦り、「腹を立てまい」と誓っても腹は立つし、「喜べ」と言っても喜べません。「不足はよくない」とわかっていても不足し、「このことはもう考えまい。忘れよう」と決心しても、頭から離れません。

立派な講話に感動し、「人の力になりたい」とやさしい気持ちになります。ところが直後、マナーの悪い車に出くわすと、「この野郎!」と逆上しています。あのやさしい心はどこに行った?

心は奔放で気まぐれです。時も場所も選ばず、唐突(とうとつ)な考えが唐突に心を占領し、「こんな時に不謹慎」と、自らを叱(しか)っても、払いのけられません。心は正直です。いくら正論を諭されても、好きなものは好きだし、嫌いなものは嫌いです。

体と心を結ぶシステム

その人の崇高な理念や信条とは関係なく、栄養補給が必要な時は「何か食べたい」と思い、体が休息を求める時は「動くのもイヤ」と思い、脳が睡眠を欲する時は「眠りたい」と思います。異性を見て心奪われるのも種族保存のために不可欠で、攻撃され「負けてたまるか」と立ち向かうのも、生き抜くには必要なこと。

こうした情動は、頭で考える前に、自動的に発動します。「体が要求している」と心に知らせる緊急警報です。いわば親神様によって企図された、私たちの体と心を結ぶシステム。これがなければ、私たちは、簡単に命根を断ちかねません。だから無視できません。

このような自己保存欲は生き残るために不可欠で、人間だけでなく、動物や鳥や爬虫類にもあります。

情念の猛威

ただし、本能に盲従するだけでは、良き人生になりません。欲深く、怠惰で、好戦的で、身勝手になるのは必定。絶えず人と衝突し、私生活は荒廃し、社会生活は破綻をきたします。

しかも他の生き物と違い、人間の情念は異常に膨張し歪み苛烈になって、ときに人を狂わせます。自己保存どころか、自分を危機に陥れます。

我を忘れて怒りに狂い、悲しみに沈潜し、情愛に身を焦がし、欲望に駆られ犯罪に手を染めます。無茶な飲酒、ギャンブル、はてしない闘争、不適切な男女関係等々、衝動に突き動かされ、破滅に向かって突進します。世の不幸の多くは、自らの心に翻弄されてのことかも。

こうなると、心は自由どころか、まるで暴れ馬。

もし、心が完全に自由になるなら、陽気ぐらしも簡単です。コンピューターのキーを叩くように、「陽気になれ」と、ポンとセットすればいいのですから。しかし、現実はそう簡単ではありません。

欲求の心を押し殺せば身体を傷め、言いなりになると身を持ち崩します。では、どうすればいいのでしょうか。

創造的な思索

私たちの心の中は、無意識と意識、本能と知性、情念と理性が、互いに強く影響しあい、渾然となってうごめいているのかもしれません。

基底には自己保存を図る欲求の心。しかしそれだけでなく、雑多な想念を整理して脈絡を付け、意味を見出そうという高度な精神活動が営まれます。この働きで、創造的な思索が可能になりました。「元の理」で教えられる〝知恵の仕込み〟です。

環境や身体の制約は受けますが、心はそれに全面従属しません。人間は、他の動物のようにただ条件反射的に反応するのではありません。「ちょっと待てよ」と周囲を見渡し、熟考し後先を考えます。想像し、意味を問い、計画を立て、人を思いやる「自由」。この自由が、人間に無限の可能性を開きました。人間の人間たる所以です。

例えば同じ自然を見て、科学者は法則を発見し、思想家は哲理を悟ります。厭世家は無秩序と断じ、芸術家は美の表出と感嘆します。実業家であれば、経済活動の資源と見るかもしれません。自由ゆえ、人それぞれの見方や考え方、価値観や世界観が生まれます。

もし心に自由がないなら、「心が思うようにならない」と悩まないでしょう。欲求に従うしかなく、悩むべき選択肢がないのですから。しかし、欲求の力に抗い、「こうありたい」という自由意思をもつ故に悩むのです。

自由を駆使して

空腹に駆られやっと手にした食べもの。いざ食べようとすると、翔太君がさっと横取り。即殴りかかって奪い返すかも。後でこっそり取り戻すのも選択の一つ。彼が手強いので、あきらめることも。あるいは、翔太君が腹ぺこであることを思いやり、もっと食べ物を差し出すことだってできます。

ちょっとした思案の工夫で、心を明るくすることができます。

疲れたら、愚痴を言うより、「くたくたになるまで働けた。ありがたい」と感謝します。

熱が出て仕事ができない日。体調の悪さを嘆(なげ)くより、「親神様がくださった休養日。ありがたい」と、ゆっくり休みます。

不測の事態が勃発。「私がこれ以上転落しないように、親神様が立ちはだかれたのだ」、親神様のご意図を悟れば、取るべき道が見えてきます。

見る角度によって、見える世界が変わります。逆風も、自分が向きを変えれば、順風です。

心は、情動に踊らされながら、なお膨大(ぼうだい)な自由を有しています。

自己責任

実際は自由なのに、わざわざ自分で自分を縛りつけ、がんじがらめになっていることも。「自分は罪深い」と自分を責める人には、ますます自分が罪深く感じられるでしょう。「希望はない」と悲観する人には、希望は見えないでしょう。「人生は苦だ」と断定する人には、人生は苦痛として展開するでしょう。

「自分で倒れそうだなと思えば、倒れるのだ。なにもできないと思えば、ほんとになにもできなくなる」。フランスの思想家アランの言う通り。自分自身をどう見るか。「およそ不幸というものは、一つしかない。自分に対する好感を失うことである。自分が自分に気に入らなくなる、それが不幸というものだ」。ドイツの文学者トーマス・マンは述べました。

困難の中にチャンスを見出す人と、チャンスの中に困難を見る人。見方次第で、人生はまったく違った色合いに。「人に喜んでほしい」と思って生きる人と、「人を利用しよう」と考えて暮らす人。同じ人生になるはずはありません。

陽気ぐらしは与えられるのではない

「元初まりの話」では、人間の成長に合わせて、海山、天地、日月、世界が整います。つまり私たちは、初めから完成した「陽気ぐらし」の中に、生まれ落ちるのではありません。心の成人に応じて、陽気ぐらしの環境ができてくるのです。

だから、「家が金持ちだったら、私は成功したのに」「親が凡庸だから、俺に才能がない。努力しても無駄だ」と、不遇を誰かの責任にするのは不毛。状況を悪化させるだけ。

最終的には自分で選んだ人生。責任を負うのは自分です。

近世英国の哲学者ミルは言います。「人が一生をかけて磨き上げるべき一番重要な作品は、まさしくその人、人間そのものである」と。自分を高める努力が、良き環境をつくります。

ヨット

何もせずただ座ったまま、「さあ、勇もう」と思うだけでは、心は勇んでくれません。ひのきしんやおたすけ、人様に喜んでもらおうと動くから、勇むのです。

先に引用したアランは、こんなことも述べています。

「われわれを情念から解放するのは、思考ではなくて、むしろ行動である」

心が行動を引き起こし、行動が心に強い影響を与えます。

この世は、天然自然の理に従って動いています。これに逆らえば、行く先々で頭をぶつけ、つまずき、ボロボロになります。それはちょうど、川の流れに逆行するようなもの。押し戻され、力尽き、溺れかねません。お金や名声や享楽への執着が、陽気ぐらしの本流から逸脱させます。

親神様のご意思という流れに乗れば、手足も自由に軽やかに、望むところへ到着できるはず。

天理に則り、教祖の教えを守って暮らす。一見窮屈（きゅうくつ）そうですが、これが最も自由で、伸び伸びと晴れやかに暮らす秘訣です。

私たちは、ちょうど帆（ほ）を操りながら航海するヨットに似ています。

天候や風向きや潮の流れは、変えられません。嵐にてこずったり、凪（なぎ）に遭遇したり、潮流に飲まれたり――。それでも、難破すまいと、懸命に心という帆を操っています。海に弄（もてあそ）ばれるだけでなく、目的地を決め、航路を探し、帆の操作に集中します。

心という帆をうまく操作すれば、風と潮を味方にして、人生航路は楽しく明朗なものになるでしょう。

窮境にあって活路を開く思案、平穏な日々を感謝で満たす思案、人を笑顔にしようと思い巡らす思案。思案上手は、人生上手です。自分で判断し自分で決めて動くから、やりがいと喜びが生まれます。

17 わかっちゃいるけど、やめられない

本屋さんに、山と積まれたベストセラー。『目指せ、体重○キロ減！』という書籍の隣に、『太っても食べなきゃ損！　極上グルメ百選』の雑誌。ダイエットしようとする人を嘲笑うかのように、肉汁たっぷりのステーキの写真が表紙を飾ります。「やめられない、とまらない、○○」、お馴染み、昔からあるお菓子のＣＭソング。確かに、一口食べて、二口目をぐっと我慢するには、強い意志が必要です。

スーダラ節

♪　チョイト一杯のつもりで飲んで　いつの間にやらハシゴ酒
気がつきゃホームのベンチでゴロ寝　これじゃ身体にいいわきゃないよ
分かっちゃいるけど　やめられねぇ　♫

昭和の昔、一世を風靡したスーダラ節です。

明日の仕事を気にし、血圧と血糖値を気にしながら、「この罪悪感に苛まれながら、飲むのがまた旨い」と、ぐびぐび。お酒をつぐ手が止まりません。あげくに翌朝の二日酔いと自己嫌悪。ああ、またやっちゃった。けれどその日の夕刻になれば、またぞろ懲りずに酩酊。

実は、私が生まれて最初に覚えた歌謡曲がこれ。意味もわからず歌いました。しかし今、「なるほどなぁ。わかっていてもできないことだらけだ……」と、歌詞の重さに頭を垂れます。

みんなが、やめるべきことをやめ、すべきことをすれば、世の中どれだけ平安になることやら。

ギャンブル

米国のカジノの街、ラスベガス。一攫千金を夢見て人が群がります。なにせ、空港の待合室やスーパーにもスロット・マシンがあるくらい。あの手この手で、射幸心をくすぐります。「人間はかくも欲深く、ギャンブル好きなんだ」と、あきれます。

つきにつきまくり、大金を手にする人がいます。ですがたいていの場合、来る時より帰る時には、所持金は減っています。でないと、カジノの経営は成り立ちません。そうと知りながら、人々は実生活の気苦労を発散し、泡沫(うたかた)の夢に興じます。

当たれば天国、外せば地獄。まったく勝てねば早々に退散、傷口は広がりません。が、そこそこ勝つから、欲に火がつくのです。賭ける額は次第にエスカレート、無謀な賭けに出て、気づいた時にはスッカラカン。勝っても負けても、「この辺で」と、ストップするのがむつかしい。

そう、「わかっちゃいるけど、やめられねぇ」の世界です。

借金を重ね、友人を失い、家庭崩壊をきたす例も。一度大きなあぶく銭を手にすれば、地道に働くのがバカバカしくなります。

賭け事は大昔からあり、動物の骨や貝殻で原始的なダイスをしたそうです。歴史上、法で賭け事を禁じても、実効性があったためしがないとも。勝負事は、人間の本能に根ざすのかもしれません。

リスク

「人生は、ギャンブルだ」と言い放つ人がいます。

人生の分岐点に立ち、結果がどう出るかわからないまま、運を天に任せて「エイッ」。例えば、退職金をつぎ込んでの料理店開業。お客が来る保証はありません。それでも長年の夢に賭け、イチかバチかの勝負に出ます。

また、「結婚は賭け」と言う人も。幸せになれるのか、この人でいいのか、今回見送れば次のチャンスはもうないのか。事前に事後がわかれば失敗しないのに。生涯の明暗を左右する決断。

世には、リスクを避け、安定路線を好む人がいます。何事につけ手堅く慎重。そうした人がいて、社会や家庭が安定します。

一方、危険を好む人がいます。命を賭して難関に挑む冒険家、破産を怖れず投資する事業家、背水の陣で選挙に臨む政治家など。失敗する恐怖より、成功への宿志（しゅくし）実現に立ち上がります。決行せねば、夢は夢のまま。欲に駆られての博打（ばくち）もあれば、親神様におもたれ人生にリスクはつきもの。私たちが大志を抱き、未知の領域に挑戦できるよう、親神様は人間にこっそり、賭博師的な性分を忍ばされたのかも。未来の不確実さに怯(ひる)まず、果敢に一歩を踏み出すための天資です。

親神様のお計らい

「自然が作るものに、無用なものはない」哲学者ロックの有名な言葉です。

賭博に限らず、人間の原初的な衝動には、理由がありそうです。勝ちたい、負けたくない、偉くなりたい、異性と交際したい。苦を避け楽を求め、環境を自分に有利にして、何とか生き残りたいという本能です。

親神様は、欲のない者はいないと仰せられ、人間に欲の心があることもご存じ。なぜなら、そんな人間を造ったのは、他でもない親神様だからです。生存への貪欲な執着がなければ、人間は簡単に命を放棄するかも。自己保存の性向を予め組み込み、しかもその欲求が満たされた時、無上の愉悦(ゆえつ)を与え、私たちが自然に、生を望むようにされたのではないでしょうか。

みんな、楽しいこと、うれしいことが大好き。快いことを求め、不快なことは避けます。これが人間の行動原理。陽気ぐらしを目指すように造られた人間だからです。もし快楽より苦痛を好むとしたら、人類はとうの昔に滅亡していたでしょう。だから自然な欲求を不自然に抑圧すると、心身に支障が生じます。欲深い人間を造っておいて、後から禁欲せよと命じるような、そんな意地悪な親神様ではないはず。

不幸の発端

ところが、いくら楽しいといっても、好物を食べたいだけ食べ、お酒を好き放題に飲むと、体を壊すのは自明。「買物やパチンコが最高のストレス解消」と、湯水の如く浪費しては生活破綻（はたん）。「熱烈に愛している」といって、人の道から外れ情欲に溺れては、末路は惨めです。

「嫌い」が招く失態もありますが、「好き」が昂じての破滅も多いのです。「好き」となると目の色が変わり、見境がなくなるからです。誰の忠告も耳に入りません。

「こうなれば、行く所まで行くぞ！」と、悪行と知りながら開き直って暴走する確信犯は、始末に悪い。分別や良心との面倒な葛藤に、蛮勇（ばんゆう）でけりをつけ、その時は英雄気分。しかしそれは、ブレーキが破損した自動車状態。ぶつかって壊れるまで爆走します。

親神様は人間に、快感を求める身体を貸した上で、心に自由を与え、行き過ぎを自制するようにされました。

「これじゃ、体にいいわけない」とわかっているなら、そこはなんとか踏ん張って、情念の荒馬（あらうま）をなだめねば。気合い一発、自分を叱り飛ばすか、待ち受ける悲惨な事態をできるだけリアルに思い浮かべるか。感情は、その時その場の刹那（せつな）的なものですが、理性は、先にある惨劇を想像できるはず。妄念の言いなりになって、後で痛い思いをするのは、自分。自分しか、自分を救えません。

酒害啓蒙説教師

あるところに、アルコール依存症撲滅のため、各地で飲酒の弊害を説き断酒を勧める巡回説教師がいました。「ああ、今日も俺は、何と感動的な話をしたことよ」と、自分の雄姿を思い出しては、ご満悦。自己陶酔。そして毎晩、自室の戸棚を開け、中からウォッカを取り出し、グラスにグビグビグビ――。「講演をした後のこの一杯が、たまらなく旨いんだなぁ」。

　哲学者ミルは言いました。

「人間が間違った行いをするのは、欲望が強いからではない。理性と良心が弱いからである」と。

「分かっちゃいるけどやめられない」まるで蚊(か)が、明かりに魅せられ火の中へ飛び込むように、自ら奈落の底に突き進む人間。自殺行為です。

とりわけ近年、物欲や劣情を煽る誘惑が巷(ちまた)にあふれています。だから、ご同輩。好きなことには、くれぐれもご用心。

　思想家パスカルは釘を刺します。

「人間にとって、苦悩に負けることは恥辱(ちじょく)ではない。むしろ快楽に負けることこそ恥辱である」

教祖

教祖は、〝慎む〟ことを教えられました。戒律や禁止命令ではありません。何をどれくらいまでならと、線引きはされません。あくまで、個々の自由な判断に委ねられるのです。そこが難しくもあり、またやりがいがあるところ。恵みを恵みとして大いに喜びながら、しかしそれに溺れず、自足を知って自らを律する慎み。

「節制は楽しみを増し、快楽をいっそう大きくする」

古代ギリシャの哲学者デモクリトスの言葉です。

若い小松駒吉が初めておぢばがえりをした時のこと。教祖は、「年は十八、未だ若い。間違いのないように通りなさい。間違いさえなければ、末は何程結構になるや知れないで」と、身を持す大切さを諭されました。

一見変哲のない言葉のようですが、人生の要諦です。駒吉は強い感銘を受け、生涯にわたりこの言葉を心の守りとし、〝間違う〟ことなく端正で廉潔な生涯を全うしました。

現在の私は、当時の駒吉先生の年齢をはるかに超えましたが、いまだに〝間違い〟の連続。恥じ入るばかりです。

『スーダラ節』を歌った真面目な植木等さんは、「こんな不真面目な歌でいいのか」と不安でした。お寺の住職だったお父さんに相談すると、「分かっちゃいるけど止められねぇとは、人間性の矛盾を見事に表している。いいじゃないか。ヒットするぞ」と、背中を押してくれたそうです。

いいお父さんです。

18 ああ、人の目が気になる

ギリシャ神話にこんな話。

あるところにナルキッソスという、眉目麗(びもくうるわ)しい青年がいました。金色の巻き毛、涼やかな目元、凛々(りり)しい面立ちに、世の女性はときめきました。

そんな彼が森の泉にさしかかった時です。水の中から、息を呑むような美男子が、じっと彼を見ているではありませんか。ドキンッ、心臓が早鐘を打ち、破裂しそうです。

水に映った自分に恋をしたのです。

ところが、手を伸ばし若者に触れようとすると、水面に波紋が走り、美青年は消えてしまいます。

ナルキッソスは来る日も来る日も、ひたすら水鏡の自分を見つめます。思いは募り、憔悴(しょうすい)していくばかり。

そしてとうとう、絶命したのです。

また別の説によると、水に映った自分に口付けをしようとして、足を滑らせ水死したとも。

哀れに思った神様は、彼の亡骸(なきがら)を、一輪の水仙の花に変えました。爾来(じらい)水仙は、水中の自分を覗(のぞ)き込む格好で、咲くようになったとのこと。

この伝承から、自分自身に惑溺(わくでき)するような自己愛の強い人を、「ナルシスト」と呼ぶようになりました。

ショッピング

モールで買物。通りがかりのショーウインドウに、自分が映っています。足を止め、横目でチラッ。ガラスに映る自分に、にこっ。そして、再び気取って通りを闊歩。「見て、見て！　こんなにステキな私が歩いているのよ」と、ファッションモデルになった気分。それって、自意識過剰の〝ナルシスト〟？

自分が大好き。でも、そんなささやかな幸せ、許されますよね。

それにしても、です。モールに限らず、デパートや地下街でも、服飾店の多いこと。これだけあってよく潰れないものだと、感心します。

やはり衣服は、人間の一大関心事。顔形は変えられませんが、服装を替えれば、別人のように魅力的になれるかも。衣装とメイクの力で、優美な淑女、可憐な女子、ダンディな男を演出。いでたちを見れば、その人がどんな人間と思われたいのか、想像できます。

社会生活を営む人間にとって、「自分を人にどう見せるか」は、生き残りをかけた、重大戦略です。

ただし、私が心に思い描く私の姿と、人が抱く私についての印象には、絶えずズレがつきまといます。そして大概（たいがい）、他人は私を、私が思うよりずっと低く値踏みしているもの。そうです、この自己評価と他者による評価の食い違いが、しばしば人間界の悲喜劇を生み出します。

やっぱり気になる

そんな私たちですから、やっぱり自分の評判が気になります。

近所の奥さん方の井戸端会議。側を通りかかると、私の名前が聞こえます。耳がダンボのように大きくなり、うわさ話に聞き耳を立てます。

雑踏の喧噪（けんそう）の中、私を呼ぶ小さな声。ハッとして、その方向に振り向きます。どんなに騒がしくても、自分の名前だけは、聞き逃しません。

すっかり耳が遠くなったおじいちゃん。耳元で大声を出さねば、会話になりません。ところが隣室で、お嫁さんがおじいちゃんの悪口をこそこそしゃべるのは、ちゃんと聞こえています。

何かヘマをしでかした時、真っ先に周囲の反応を窺います。笑い物にならないかと怖れるのです。言い訳が頭の中を駆け巡ります。失敗そのものよりも、人の目が心配。

他人の目は、私たちの心理や行動に、無言の影響を与えます。

他人の目

「人の目に自分がどう映っているか」と、周りの視線を意識するのは、自然なこと。人が見ていると思えば、独善や衝動による暴走に、ブレーキがかかります。「そんなことをすると、人から何と言われるか」と、冷静になります。

確かに、自分に向けられる期待や非難の目に、押し潰されることもあります。

ところが、見られることで、潜在能力が開花することも。

「きれいに見られたい」という気持ちが、その人を一層きれいにします。「尊敬されたい」と背伸びすることが、その人を大きく成長させます。歌手やスポーツ選手は、ファンの目に鼓舞されて、普段以上の力を発揮。言動や仕草も堂々としてきます。

もし、誰も見ていなければ、英雄たちは、あんなに英雄的に振る舞えなかったでしょう。それに、あれこれ工夫してオシャレするのは、ウキウキします。「自分は格好いい」と思うだけで、人前に出るのが楽しくなります。

「年寄りだから、誰も見てくれない」と諦めているあなた。たまにはおめかしするのも、いいものですよ。心華やぎ、気持ちが若返ります。

虚像と実像のギャップ

事ほど左様に、見た目にこだわる私たち。良く見せようと、苦しいダイエットや整形手術も厭いません。

ところが、中身そのものを良くする努力は、どうでしょうか。上辺を装う熱心さで、内面を高めようとしているでしょうか。それが問題。

容色に秀でるのは、慶賀すべきこと。ただし、実質が伴っていれば、の話。でなければ中は大したことがないのに、包装だけが立派な贈答品みたいになります。

哲学者プラトンは言います。

「不正の極致とは、実際には正しい人間ではないのに、正しい人間だと思われることだ」

思想家パスカルが続きます。

「人間は、天使でもけだものでもない。不幸なことに、天使を気取ろうとする者が、けだものになり下がる」

「勇敢な人だという評判を得るためなら、人はよろこんで卑怯者になる」

虚像と実像のギャップが拡大して、自分が引き裂かれます。偽装発覚を怖れ、いつもビクビク。

ストレスの元凶です。

内面の美しさ

人には、神様から与えられた容姿と、自分で作る容貌とがあると言います。積み重ねた心の軌跡が、顔や表情に表れてくるのです。卑俗さが人相に出る人も、人徳が風貌に表れる人もいます。

市販の鏡は、外観しか映しません。しかし親神様の鏡には、私たちの胸の内がすべて映るのです。

外出前には鏡に向かい、身だしなみを整えます。出会う人への配慮、エチケットです。鏡を見なければ、寝癖で髪の毛が派手に跳ね上がっていても、気づきません。目は何でも見えますが、自分の顔は見えません。

同様に、心の歪(ゆが)みや乱れも、自分では気づかないことが多いのです。

そこで、日々信仰という鏡に、我が胸中を映し出します。ほこりや汚れを拭(ぬぐ)い、心の容儀を正します。外見の良さに、内面の美しさがともなえば、鬼に金棒。

内側からきれいになる。どうやらこれに勝る美容法はなさそうです。

19 私の腹立て対策

ある無法者が、仙人に尋ねた。

「極楽や地獄とはいかなるものだ？」「そんなこと、聞いてどうする」

そっけない応対に、無頼漢（ぶらいかん）は愚弄（ぐろう）されたと思い、逆上し殴りかかる。

「それが地獄だ」

その言葉にハッとして、振り上げた拳（こぶし）が止まる。即座に老師は言った。

「それが極楽だ」

以前どこかで聞いた説話です。

安全装置がストンと外れ、狂気に引火。その先にあるのは、破滅の地獄。それに気づき踏み留まれば、極楽への扉が開くというわけです。

怒りの功罪

猫は、敵に出遭うと、毛を逆立て相手を威嚇。ヘビでも、危害を加えられると、凄んで反撃に転じます。

人間も同様。危険を察知した瞬間、血管が収縮し心拍数が上がって、鬼の形相に。平時の戦闘力では対応不可とみるや、怒りという非常時体勢に切り換え、危局突破を図るのです。

これも、生命維持のメカニズム、親神様のご守護です。

加えて人間の場合、「侮辱される」という自尊心への攻撃にも、激しく反応。社会的存在である人間は、侮られ面目を失うことを〝生存の脅威〟と、防衛本能が働くからです。

また怒りには、膨らんだ鬱憤を発散させるという役割も。内に籠ると心身を害する毒素を、はけ口を設けて外に逃がそうというわけです。だから怒りの噴出に身を任せるのは、一種の快感を伴います。

もっとも、怒りを爆発させてスッキリするのはその場だけ。ストレス発散どころか、さらなるストレスの元に。米国建国時の政治家ベンジャミン・フランクリンは言います。

「怒りにはいつも理由がある。ただし、正当な理由はめったにない」

そうです。生涯で怒るべき時は、さほど多くないはず。非道な暴力から自分の生命や愛する人を守る時、苦難に負けず「なにくそっ」と立ち上がる時など。

とは言え、怒りに伴う副作用は甚大（じんだい）、劇薬のカンフル剤のようなもの。時に正常な判断力を麻痺させ、残忍・狂暴にします。常用すると、人生がズタズタに。

だから教祖は、「腹立ち」を心のほこりとして、戒（いまし）められるのです。

対策

腹立ち対処の困難は、それが突発的に発生、瞬時に沸点（ふってん）に達すること。

とりわけ、寝不足時や疲労時や空腹時は要注意。普段は穏やかな人でも、子供が観ているテレビの音量が大きいというだけで、声を荒げます。

要は、その瞬間いかに自分の感情をコントロールできるか、です。

かく言う私も失敗は数知れず。以下は、私の腹立て対策です。

カチンと来たら、まず深呼吸。沸騰したお湯に差し水をするくらいの効果があります。その際、ぶち切れた後の面倒が頭を過ぎれば、理性が起動。激怒する誰かの顔が浮かべば、「あんな醜態は見せたくない」とあわてて鎮火に走ります。以前腹を立て失態を演じた時の惨めさが甦れば、途端に酔いが醒め正気に。そして、周囲の迷惑に思い至れば、もう怒りに打ち克ったも同然。仕上げに、「きっと私の体調のせいか、相手の虫の居所が悪かっただけ」と、さらっと流してしまうのです。

さらに、こんな方法も。

これから気難しい人と交渉という時。「何を言われても腹を立てませんように」と、教祖にお願いして出赴きます。そうすれば平静を保ち、また意外に相手も好意的で、うまく運ぶもの。

憎々しい相手の顔が頭から離れない時。「こいつを通して、教祖が、私を仕込まれているのだ」、そう思うと、矛先が相手から自分に移動。「こいつが」と思うと許せませんが、「教祖が」と気づくと、相手を責める理由が消滅します。

つい暴言を吐いた時。たとえその場で相手に謝れずとも、後で教祖に誠心誠意お詫びするのです。そして次に出会ったら、カラッと明るく挨拶。これは効果があります。ムカッとしたら、お守りに手をあてます。「あっ、教祖」、お姿が心に浮かび、自分を羞じます。

これまで私は、どれほど教祖におたすけいただいたことでしょう。

20 プライドの功罪

「鏡よ、鏡よ、鏡さん。世界で一番きれいなのは、誰？」

お妃様は鏡に尋ねます。

「もちろん、あなた様です」

鏡は律儀に答えます。

「やっぱり私だよねぇ」

王妃は、毎日鏡の答えを聞くのが、何よりの楽しみだったのです。

ところがある日、鏡は、「世界で一番きれいなのは、白雪姫です」と言うではないですか！　肌が白雪のように真っ白なことから、白雪姫と呼ばれる前妻の娘。お妃は逆上。猟師に白雪姫の殺害を命じたり、自ら腰紐で絞め殺そうとしたり、櫛に毒を仕込んだり、毒リンゴを食べさせたり。お馴染み、グリム童話の恐ろしい場面です。

自信

人には、「ここだけは譲れない」という聖域があります。ここが安泰であれば、自尊心は満たされ、人生は楽しいもの。

自信が、挙措を堂々とさせます。自信があれば、他者に寛大になれます。この土台が揺るがねば、逆風に耐え、矜持や快活さを保てるのです。

「力があると思うゆえに力が出る」と、古代ギリシャのウェルギリウス。

自信の拠り所は、人によって様々。例えば才能、肩書きや出自、学歴や容姿はもちろん。

腕っぷしが強い、論争に強い、異性にもてる、ということも。中には、カラオケがうまい、子供が優秀だ、偉いご先祖がいる、鉄道に詳しい、アイドルに詳しい、おいしい店をたくさん知っている、新製品の特売場に一番乗りをした、有名人と友達だ、等々も。実は何でもいいのです。「どうだ、参ったか」と、周りに胸を張れれば。それを張合いに生きていけます。

問題は、誇りはすぐに高慢へと変質しがちなこと。

ボンネットの毛虫

ある時、木にぶら下がっていた毛虫が、うっかり自動車のボンネットの上に落ちました。車の運転手は、気づかず発車、ナビに頼って遠距離ドライブです。お陰で、迷うことなく到着できました。

毛虫は、ボンネットの上でふんぞり返ります。「俺がお前の車をここまで先導してやったのだ」と。

得意にしていることを褒められると、全身に悦びが走ります。口では、「いえいえ、それほどでも」と謙遜(けんそん)しても、「この人は私の真価がわかっている」と、内心ウフフ。「お世辞だ」と見え見えでも、褒め言葉の半分以上は真(ま)に受けるので、われながら困ります。そうです、これは私の告白。おだてられると、ひょいとその手に乗ってしまいます。

「高慢にはいつも、何らかの愚かさが含まれる」と言った人がいます。誰が言ったかって？　何を隠そう、この私です、エッヘン。ちなみに私は、これ見よがしに自画自賛する人は好きになれません。だから私は、決して人様に自慢はいたしません、エッヘン！

あ、いけない、また自慢してしまった……。

「役に立つ人間だと思われたいか。なら、それを口に出すな」

「人からよく言われたいと思ったら、自分のよいところをあまり並べ立てないことだ」

ふぅ、パスカルにはいつもしてやられます。

皮肉にも、自分を偉く見せようとすればするほど、傍からは軽薄に滑稽(こっけい)に見えるから不思議です。

二十世紀オーストリアの宗教哲学者マルティン・ブーバーは言います。

「鏡の前に立ち、己の偉大さを賛嘆している時は、間違いなく偉大さは欠けている」

高慢という敵は手強いぞ

私は、高慢を戒める話を拝聴すると、「いるいる、そんなエラそうなヤツ」と誰かの顔が浮かびます。傲岸（ごうがん）さが鼻に付き、普段から苦々（にがにが）しく思う人の顔。「あいつに、これを聞かせてやりたい」と、お節介なことまで考えます。まさかそれが私のことだとは、思いもしません。

これを書きながら思います。高慢の話を、高慢にならずに語るのは、とても難しいと。自分のことは脇に置き、人様の高慢を列挙し糾弾して、自分自身がスッキリしたくなるからです。

人の高慢が目につくのも高慢なら、相手の高慢を許せないのも高慢。そして、そんな自分の高慢に気づかないのも、高慢ゆえ。高慢は、なかなか手強いです。

傾いたモノサシ

自分のことは、状況や過程も熟知して、思い入れも一入（ひとしお）。人一倍苦心したとの自負もあります。だから、ちょっとでも人に褒められれば、自信は一挙に膨れあがります。才ある人ほど、高慢という病に罹患し易いのです。

ところが、他人の隠れた努力や、取り組みへの深い思いは見えないので、顧慮することを怠ってしまいます。どうしても自分を過大に、他人を過小に評価しがち。二人いれば二人とも、「自分が上」と考えるのですから、軋轢が生じるのも、宜なる哉。

極端な場合、自分を神様のように祀り上げ、自分への恭順を人に強要するようになってしまいます。もちろん、人の苦言など耳に入りません。頂点にいる人が凋落するのは、たいていこの慢心が原因です。

会社の上司が尊大な態度で、部下に訓戒します。「思い上がって〝天狗〟になるな」と。お説教する彼自身が、思い上がった天狗の顔になっています。人への忠告は手軽な贈り物。ふところも痛まず、自分の偉大さを誇示でき、おまけに相手に恩を着せられるのです。なので、ついつい忠告したくなります。でも、乱発すると、皆から疎まれますよ。

「権威を手にすると、自分の考えにしたがって人を幸福にしようとして、独裁者になる」

これは、哲学者カントの言葉。

砦の死守

子供には子供のプライドがあり、弱者には弱者の、貧者には貧者のプライドがあるもの。それがその人を支えます。もしこれが倒壊すると、ちょうどパイプが折れたテントのように、グシャッとひしゃげて、〝自分の形〟がなくなります。まさに存立の危機。

ですので、相手の態度に少しでも、この自尊の砦を揶揄(やゆ)する匂いを察知したら、必死の形相(ぎょうそう)で食ってかかります。相手にすれば冗談のつもりでも、当該者にすれば自分を全否定されたように感じるからです。

逆境に堪(た)える人はいても、軽蔑に堪えうる人は少ないかも。

女王蜂

蜂王国にあって権力を振るう女王蜂。気位の高い彼女ですが、ライオンをやっかむことはありません。いくらライオンが風貌に優れ、ごちそうを食べ、恵まれた環境にいても、ライオンは嫉妬の対象外。女王蜂は、ライオンとの力関係を受け入れているからです。

ところがその女王蜂は、配下の働き蜂が、自分より人気があり、裕福であったら、我慢がなりません。まして自分にひれ伏さず、命令に従わねば、激怒。

そうです。自分より同等もしくは下位だと見なす者が、自分より上位に着くと、メラメラと妬(ねた)みの炎が燃え上がります。企業でも、一人の抜擢(ばってき)人事は、少なくとも五人の不満分子を作るとも。

「世界一美しい」ことを鼻にかける王妃。それが、格下の小娘、白雪姫にいとも容易(たやす)く敗れたのです。はらわたが煮え返るのも当然。高慢であればあるほど、鼻をへし折られると、憎悪は苛烈になるのです。嫉妬の根っこには、自惚(うぬぼ)れと高慢。

先賢の言葉に学びましょう。

「他人と比べないと自分が幸せだと思えない人は、本当の幸福を知らない」スピノザ

「妬みは、その人がいかに自分を不幸と思っているかを示している」ショーペンハウアー

「妬むことは、自分を劣った者として認めることだ」ローマ帝政期の政治家小プリニウス

驕らず、妬まず

たとえ立場やお金があっても、権高な人物を、好きな人はいません。腫れ物に触るように、気を遣わねばならないからです。話しかけても、「俺を誰だと思っている！」と、言いがかりをつけられ、不快な思いをするのが目に見えています。できれば会うのを避けたい、会わずに済ませたい。

高慢が、人を孤独にするのです。

張り巡らせる〝高慢〟という鉄条網が、人を寄せつけなくします。

誰でも、負けるより勝つことが好きに決まっています。でも、負けたことのない人など、いないのでは。要は、その時の負けっぷり。敗北を受け入れず、身を滅ぼす人もいます。「負けるが勝ち」ということもあるのです。試合で決着がついた後、敗者が勝者を称える姿に、感銘します。

教祖は、「やさしい心になりなされや」と、おっしゃいました。

相手を思い、相手に譲る〝やさしい心〟。その時その人は、相手を凌駕しています。

教祖は、嘲笑され誹謗されても、青空のように晴れやかです。勝ち負けなど、もとから眼中にありません。高圧的な官吏に面罵されても、抗うでなし、阿るでなし。それどころか、拘引に来た警官に食事を勧め、にこにこと警察に赴かれます。留置の最中に、「退屈そうだから」と、巡査にお菓子を買おうとされます。反対する者も拘引に来る者も、みんな可愛い我が子供だと、あらゆる人間を深々とした愛情にくるまれるのです。

もし件の王妃も、教祖みたいに優しく、白雪姫の美しさを祝福する雅量があれば、面差しも柔和に、美貌にも磨きがかかるでしょうに、ね。

21 素直になりたい

江戸一番の剣客と謳われた彦左に、仲間が耳打ち。「今日の相手は銃を持ってるぞ。悪い事は言わぬ。この防弾胸当てをしていけ」でも彦左は聞く耳を持ちません。「俺に指図するな！ わしなら大丈夫。銃を怖れるなど武士の恥」

その言葉通り、彦左は決闘相手を一刀両断。呵々大笑しているとき、倒れた敵の子供が、父親の懐中から銃を取り出し、ズドン！ 彦左はあっけなく落命しました。友人の忠告を素直に聞いておけば死なずにすんだのに。真の敵は対戦相手ではなく、自身の過信と虚栄心だったのです。

ある農村に、あまのじゃくという少年がいました。すごい神通力があるものの、ひねくれていて、人の言うことの逆ばかり言います。日照りが続く夏のこと、村人は一計を案じます。少年を河原に呼び出し、「雨降るな、と言え」と命じます。案の定、少年は「雨降るな」とは言わずその反対、「雨降れ！　雨降れ！」と叫びました。するとどうでしょう、すさまじい雨が降って、村は干魃（かんばつ）から救われたのです。村人は大喜び、企みがまんまと功を奏しました。

ところが少年は、「雨降れ」と言ったばかりにその通り大雨が降り、雨水と一緒に川に流され、あっけなく死んでしまいました、とさ。

特別な才能があっても、やはりあまのじゃくの末路って、かわいそう。

頑固

現代、人の言葉を鵜呑（うの）みにしては危険。悪質な詐欺もあれば、悪意はなくとも誤情報も乱れ飛ぶからです。審判の判定さえ、アピールすればビデオで覆（くつがえ）る時代、盲従せず主張することも肝要。

とはいえ、みんながみんな、人の声に耳を貸さず、自分の言い分をまくしたてるのは、どうでしょう。

今、「素直」という美しい日本語が、死語になりつつあるのを危惧（きぐ）します。

たいてい人は、自分の考えが一番正しいと思っています。それでせっかくのアドバイスも、「お前は黙っておれ！」と無視。視野の狭い人ほど、自説に固執し、人の進言を拒みます。

「人は、少ししか知らぬ場合にのみ、知っているなどと言える」文豪ゲーテの言葉です。「愚者は己(おのれ)を賢いと思うが、賢者は己が愚かなことを知っている」こちらはシェイクスピアの言葉。

頑固な人は迷いません。一方、多様な見方を知れば、優柔不断になることも。しかし、迷うことで、多角的な視点を身につけます。これが独善を防ぎ、その人を成長させます。異見異論も傾聴し、その上で信念を貫くなら貫くのです。人は、騙され失敗するのを怖れて、他者の助言に耳を塞ぎます。しかし、致命的な過ちを回避するためにこそ、多くの見解に耳を傾けるべき。

『アニー』という映画で、少女アニーは言います。「人がノーと言うのは、イエスと言うのを怖れているときだよ」と。

素直なアニーを見ていると、こちらまで清々しくなります。

先入観

飼い犬タロウは、生まれた時からリードでつながれたまま。ある日、飼い主はタロウにシャンプーするため、首輪を外します。洗い終え、タロウと楽しく遊びました。ところがうっかり、タロウに首輪をするのを忘れてしまったのです。その夜タロウは、どこへでも失踪(しっそう)し放題。

ところがタロウは、リードが届く領域から一歩も出ません。「自分が動けるのはこの範囲」と、思い込んでいるのです。

人間にもよく似たことが起こります。自分で勝手に、「自分はこういう人間だ」と枠をつくり、その枠の中に自らその中に収まって、そこから出ようとしないことが。手つかずの広大な可能性が、開いた扉の向こうで待っているのに。

それに気づかせてくれるのが、第三者。忠言に耳を傾けると、自分の世界が格段に広がります。

岡目八目(おかめはちもく)という言葉があります。囲碁の観戦者は、対局当事者以上に、よく手が読めるそうです。冷静に全体を俯瞰でき、八目先まで見通せるというのです。私たちは、人のことはよくわかっても、却って自分のことはわからないもの。だから、傍観者の一言が、効力発揮。要は、耳の痛いことを、素直に聞けるかどうか。

教わる側と教える側

みかぐらうたとおふでさきには「素直」の語はありません。おさしづにただ一度。「何も言わん素直の心が、順序の道である程に」（明治33年1月25日）というお言葉です。を、やである親神様は、子である人間に、「素直になれ」と強要されません。目上の者は目下の者の身になって教え、目下の者は目上の者の思いを汲んで素直に聞く、それがたすかる順序だよ、と諭されます。いやいや我慢して従うのはストレスです。自ら進んで行う、これが心地よさの秘訣です。

上司が、部下にお説教をしています。「なぜ、俺の言うことを聞かない。素直になれっ！」言い換えると、「つべこべ言わずに黙って俺の言うことを聞け」という恫喝。

部下は聞いていているふりをしています。しかし心の中では、激しく反発。怒りに委せて言えば、どんなに正しいことを言っても、逆効果です。

「われわれは忠告することにかけてはみな賢明であるが、自分自身が過ちを犯していても気づかない」古代ギリシャの劇作家エウリピデースの言葉です。

「手軽なことだ、災難を受けない者が、ひどい目にあってる者らに、あれこれと忠告するのは」こちらは古代ギリシャの詩人アイスキュロスの箴言。

彼の言うとおり、忠告はお金もかからず、相手に対する優越感を味わい、こちら側の自尊心を満足できる、とても都合のいい贈り物です。

教育とは、自分の考えを押しつけることではありません。相手の徳分を引き出すこと。

十七世紀の哲学者スピノザは言います。「人々を従わせるには、恐怖よりも、希望に訴える必要がある」「強制されて幸福になれる人間は一人もいない」と。

「素直」というのは、教わる側が自分自身に言い聞かせる言葉。教える側は、「素直になってもらえるよう」、努めるべし。

相手に敬意を抱き、信頼するから、素直になります。敬意を抱いてもらうには、方法は一つ。こちらが、敬意に価する人間になることです。相手を素直にするのも、反抗的にするのも、実はこちら次第。

理想像

父方の祖父を早く亡くした私は、母方の祖父に可愛がってもらいました。私は「あまのじゃく」を絵に描いたようなへそ曲がりでしたが、祖父には素直でした。祖父が大好きだったからです。「お道を信仰すればあんな人になれるんだ」と、この道の信仰に信頼感を持ちました。

祖父は若い頃布教に出て、数カ所の教会を設立しました。その布教道中の失敗談（成功談ではなく）を、笑いながらよく聞かしてくれました。祖父は、私にとって憧れの信仰者です。

おたすけで活躍する人の話を聞くと、しばしばその人が敬愛する先輩布教師の話がでてきます。その先輩の後ろ姿を追いかけ、出直されても事ある毎に思い出すお手本。くじけそうな時思い出せば心奮い立つ、信仰の体現者。そうした師を持つ人は、幸せです。

きっとその先輩にも、尊敬するおたすけ人があったのでは。そして、その人にもまた理想の人物が。さらにそれをずっとたどっていくと――、教祖です。教祖の万人のひながたに行き着きます。

教祖は、人間の哀しみも弱さも愚かさもすべてご存じ。そして親鳥がひなを抱くように、傷ついた人たちをすっぽりと温かな恵愛にくるまれます。その瞬間、人々の悲嘆や暗い情念は、熱した鉄板上の水滴がジュンと蒸発するように、跡形なく消えます。いかに頑迷固陋でも、積年の悩みをたすけていただくと、もう理屈抜き。じっとしておれぬほど教祖が慕わしくなり、「このお方の仰せならなんでも」と、三才児のように素直になったのです。

生来高慢な私はふしを頂戴するたび、「低い心になって素直になろう」と腹を括ります。そして実際、教祖に素直になると、いつも無事にお連れ通りいただきました。苦しいときこそ素直になる、素直になれたら道が開ける、みなさんも、是非お試しあれ。

22 良心の声が耳に痛い

みなさんご存じのイソップ物語。

あるとき、木こりがうっかり斧（おの）を池に落としました。困っていると、池の中から神様が金の斧を手にして現れ、「お前の斧はこれか？」と尋ねます。木こりは、「滅相（めっそう）もない。そんな高価なものではありません」と、答えます。

すると、神様は再び池に入り、今度は銀の斧を持ってきました。「これか？」「いいえ、ホントにそんなに上等ではないのです」と、木こりは首を振ります。

三度目に神様は、みすぼらしい鉄の斧を持って上がりました。「じゃぁ、この斧？」「それです、それです！」木こりは大喜び。彼の正直さに感心した神様は、鉄の斧に加え、金と銀の斧も与えました。

それを見ていた男がいます。「ふーむ、あのようにすれば金の斧が手に入るのか。よし、それなら俺も」と、安物の鉄製の斧をわざと池に落とします。すると神様は、金の斧を手にして現れました。「お前が落としたのはこれか？」男は間髪を入れず、「そ、そ、そうですっ。その斧に間違いありません」と喜色満面。神様は、哀しそうな顔をして、黙って池に戻ってしまいました。結局この男は、金の斧が手に入らなかったばかりか、自分の斧まで失いました。

神様は、時に私たちを試されます。私たちの下心もウソも、神様はお見通し。

さぁ、どうする？

人混みの中、前を歩く人のポケットから、一人の男が財布をスッと抜き取るのを目にします。即座に声をあげスリを追いかけるか、それとも「面倒に巻き込まれたくない」と、見て見ぬ振りか。一瞬迷った隙に、スリは逃亡。被害に遭った人に、申し訳ない……。

コンビニで買物。レジの人がうっかりおつりを余分にくれました。黙って受け取るか、正直に返すか。「間違えたのは向こう。このまま貰って何が悪い」「いや、たとえ相手の落ち度でも、商品を手にする以上、余分は戻すべき」どちらが正しいかは明白。とはいってもなぁ……。

ラーメン店でアルバイト。手間のかかるスープ作りを任されています。「手抜きしちゃえ」と、どこかで野卑(やひ)な声。「幸い、今日は頑固でうるさい店主も留守だろ。どうせ誰も気づかないい」「おいおい、それはまずいよ。店に来てくれるお客さんへの裏切りだ」さて、どちらの声に従うか？

うっかり犯したミス。そのせいで会社に大きな損失が生じました。誰も私のミスだとは知らず、その件で同僚が叱責されています。正直に名乗り出るか、それとも知らぬ顔を決め込むか。もし、名乗り出れば、私は出世の夢が絶たれてしまう、妻は何と言うか……。

これらの件に共通するのは、「知っているのは自分だけ」「黙っていれば分からない」という点。人の見ていない時にどう振る舞うか、その人の真価が問われます。

自分のルール

人にはそれぞれ、自分のルールがあるもの。していいことと悪いこと。

もっとも、〝われのみぞ知る〟掟(おきて)なので、違反しても誰も気づきません。そこで、他人を見るように自分を突き放してチェックする目を、自分の中に持っています。脱線しそうになると、心の中で警報がなります。

良心です。

私にも、私のルールがあります。「この人の前で言えない事は、その人のいないところでも言わない」「自分ができないことを、人がしないからといって、その人を責めない」などなど。

しかし残念ながら、現実の私は、高潔な自分と計算高い自分との狭間で、揺れ動きます。欲や恐怖に駆られると、言い訳を並べ立て、良心に背くことも。挙げ句に、ひどい自己嫌悪。

ある倫理学者は言います。「いったん情念に駆られると、人は、どんな不正も平気で犯す。そして、それを正当化するための理屈を探し求め、実際にそれを見つけ出してしまう」と。痛っ、図星です。

羅針盤（らしんばん）は正しい方角を示すのに、眼前の障碍（しょうがい）に怯（ひる）み、誘惑に屈し、不本意な方向に舵を切る私。

良心的だと損をする？

良心的な人が、そうでない人と相対せば、たいてい良識ある側が譲歩する羽目に。

たとえば、生徒が悪口雑言を吐いたからといって、先生は、口汚く生徒を罵るわけにはいきません。教育者としての自制が働きます。

また、勝手なクレームを言い立てるお客に対して、店側のスタッフは、ぐっと反論の言葉を飲み込み、頭を下げます。店の看板を背負うからです。

凶悪なテロ集団に対する、大国の対抗手段は限られます。一般市民を巻き込むような無差別反撃は控えます。国際世論を背負い、人道的な責任を負うからです。一方テロリストは、効果があるなら残忍な手段も躊躇なし。その点、テロ側は有利。

立場に伴う道義が枷を掛けます。

ハードル

私たちは、自分の〝正義〟を貫徹できれば、そんな自分を心から肯定し、スカッとします。

ただ、「何が正しくて、どうすることが正しいのか」という定義や判断基準、善悪の線引き、〝正しさ〟の優先順位は、人によって微妙に異なります。「ウソは絶対ダメ」という人があれば、「相手を喜ばすための軽いウソなら許される。人間関係の潤滑油（じゅんかつゆ）」というスタンスの人も。規範を厳しくするのも甘くするのも、さじ加減は各々の裁量です。

もちろん、ハードルを上げると、クリアするのがきつくなります。良心的たろうとするほど、縛られるのです。鋭敏な良心の持ち主ほど、心の葛藤も多く、自責に悩みます。

人の痛みを考えないなら、事は簡単。人を恫喝（どうかつ）して強要したり、冷酷に切り捨てることも。ウソで、ぼろ儲けができそうですし、事実を隠し「自分はしていない」と強弁すれば、罪を逃れられるかもしれません。

ただし、一旦ハードルを下げれば、なし崩しに低くなり、やがてハードルそのものが消失ということも。青春時代、あれほど高々と掲げた理想も、ズボンがずり下がるように、妥協を重ねてずり落ちていることが。

「良心に蓋（ふた）をして平気になる」、これが怖いのです。卑劣であることに、抵抗がなくなってしまうのです。

良心に照らし、「羞じるところなし」と確信する時は、他人の中傷に動じません。しかし、疚しいところがある時は、人の非難以上に、自身の呵責に苦しみます。自分を許せないというのが、堪えるのです。

法と良心

いくら法や刑罰を精密に整備しても、悪事を企む不心得者がいる限り、法の網をくぐり抜ける狡猾なやり口が現れます。悪知恵と法律の〝いたちごっこ〟。法律はどんどん複雑にならざるを得ず、手続きが面倒になり、自由が制限され、暮らしが窮屈になります。

結局、各自の良心にまたねばならないのです。

強そうで弱く、弱そうで強い心。それでも、私たちは、大勢の人たちの良心に支えられています。

食品工場で働く人、銀行員、運転士、お医者さん、こうした人たちの良心的な仕事を信じるから、私たちは安心して食品を口にし、銀行にお金を預け、乗り物に乗り、手術に命を託します。

良心を貫くのは容易ではなくても、そうするに足る価値があります。心の風通しが格段に良くなるのです。

文豪トルストイは、「自分は善き生活を送っているという意識そのものが、善き生活の最高の報酬である」と言いました。

良心と信仰

人から誹謗（ひぼう）され、孤立無援の時。暗闇に一条の光が射し込みます。

ひとがなにごといはうとも
かみがみているきをしずめ　（みかぐらうた　四下り目　一ツ）

「そうだ。どれほど誤解されても、教祖は真実をご存じだ」、全身に電流が走り、愁眉（しゅうび）を開きます。

しかし、「教祖がご覧になっている」ということはまた、私たちの信仰姿勢が問われることでもあるのです。人は欺せても、教祖は欺せないからです。教祖は、池に落としたのが金の斧ではないと、先刻ご存じ。しかも、行（おこな）いだけでなく、心の中まで見ておられるのです。

だから、信仰ゆえの自発的な抑制と、防犯カメラを怖れての断念とでは、踏み留まるという結果は同じでも、そこに至る心情は大違い。監視カメラがあるから悪事を控える、というのは打算です。露見した時の信用失墜や懲罰を秤（はかり）に掛けているだけ。

他方、教祖に思いを馳せ、所行を慎むのは、清廉な信仰の為す業。教祖に正対することは、真実と向かい合うことです。信仰がなければ、「人に見つからねば、何をしてもよい」となるでしょう。監視カメラに、信仰の代わりは務まりません。

教祖に誠実になることで、自分自身に誠実になります。そして、周りの人々に誠実になるのです。美しい心の佇（たたず）まいが、その人最大の魅力。

信仰と良心。それは、「心の自由」を与わった人間だけが持つ特権。

人としての尊厳がかかります。

23 ひのきしんの心、おたすけの心

今日は、家族揃って公園清掃ひのきしん。ゴミを拾いながら、子供が尋ねます。

「誰がゴミを捨てるの？　自分で持ち帰ればいいのに……」

子供の素朴な質問に胸が痛みます。散乱したゴミを見て、「世の中には、平気でゴミを捨てる役と、他人の捨てたゴミを掃除する役という、正反対の役割があるのだなぁ」と、考えさせられます。

もしかすればいつの時代にも、問題をまき散らす人たちとその問題を片付ける人たちがいるのかも。つまり、自分のことしか頭にない一団と、人の身になり奔走する人々です。

私欲のため他人を騙す者がいる一方、損を覚悟で誰かを支える人。人の金銭を奪う輩がいる反面、自分のお金を寄贈する人。人を殺める凶漢がいれば、人命救助に尽力する人も。

奪う人と与える人。当然、問題収拾に骨折る人が多いほど、治安が良く、善意と信頼が機能する明るい社会になるでしょう。

迷惑

「人は迷惑をかけながら生きている」、ある本でそんな文言に出合い、ギクッとしました。迂闊（うかつ）な一言で人を傷つけたり、飲酒で周囲の不興を買ったり、口臭や体臭で傍の人を不快にしているかも。自慢話に熱中して相手をうんざりさせていることも。

受験で自分が合格すれば、誰かが定員枠から押し出されて落第し、会社で出世すれば、同僚の出世を妨げます。満員電車で座れば、その分誰かが立たねばなりません。仕事が集まり儲かる会社があれば、仕事を奪われ倒産する会社も。期待の新人が入団すれば、その煽（あお）りで解雇されるベテラン選手。

「誰かを犠牲にしている」と言われれば、否定するのが難しそう。

私自身、軽率な行いで仲間の手を煩わせたり、親切のつもりが相手を困らせていることも。

だから、「多少人に迷惑をかけられても怒るまい」「かなり迷惑をかけられないと、私がかけてきた迷惑と釣り合いが取れない」と思います。

たすけ合い

教祖は、「人間は迷惑をかけ合っている」とは言われません。「たすけ合っている」と仰せられます。「迷惑をかけるな」と私たちを縛るより、「人をたすけよう」と鼓舞して、自ら陣頭に立たれたのです。

人に迷惑をかけるなと言われても、迷惑をかけてしまう人間。あまりそれを気に病むと、身動きできなくなり、窮屈です。遠慮がちになり、水臭くなります。

それより、「迷惑をかけているのだから、その分、もっと人のために尽くそう」と考え行動する方が、風通しが良くなり、絆が深まります。

人に与える喜び

フランスの思想家アランは、「人に与える喜びは自分に返ってくる」と述べました。しかも、ただ〝返ってくる〟だけでなく、与える以上に大きくなって返って来ます。人の喜ぶ顔を見れば一層人に温かく接することができ、生きることが好きになります。人が生きるのを手助けすることは、回り回って自分が生きるのを助けることになるのです。

顔を見るだけでホッと心の和む人

会うだけでホッと心の和む人がいます。その人の顔を見るだけで、心が軽くなり、元気を授かります。ひのきしんの心、おたすけの心で毎日を送る人です。自分は自分の荷物がある中、それでも人の荷物まで持とうとする人。その存在は、凄惨（せいさん）な事件も多いこの世界にとって、まさに人間の良心と未来への希望です。

もし誰かのために何かができる場面に遭遇したら？

ブラボー！　それは幸福に近づく黄金のチャンス。全力で動かない手はありません。

私は、ひのきしんをする時いつも思います。「ああ、ゴミを捨てる側でなく、ゴミを拾う側でよかった」と。少なくともその間は、人の足を引っ張る側でなく、人を支える側になれるからです。つまり、たすけているようで実は、たすけられていたのです。

人のために祈り、人の力になれるというのは、なんと幸せなことでしょう。

第4章

人生

24 私主演の物語

おじいちゃんの大好きな時代劇。あくどい手口で蓄財し、庶民を泣かせる悪代官が、悪事を企むまさにその現場。突然テーマソングが鳴り響き、イケメン侍が颯爽と登場。見事な啖呵を切り、バッサバッサと悪者の手下どもを斬り倒し、最後に親玉をバッサリ一太刀。

ああ、気持ちがいい。

しかし、ちょっと待った。正義の剣士に真っ先に斬られる悪代官の家来は、どうなる？　たまたま上司が悪いヤツで、悪企みなど何も知らされず、利益の分け前もなく、ただ命令されるがまま斬りかかったら、簡単に斬り返され、惨死。おそらくこの若い侍にも、妻や子供、親があり、残された家族は辱めを受け、収入も途絶えて、路頭に迷うやも。

そりゃ悪漢を退治した剣客は喝采を浴び、ガッハッハと高笑いして、最高の気分でしょ。

しかし、斬られた若者を主人公にした話も、あっていい……。

主役と脇役

現実世界では、みんながみんな華やかなヒーローになるわけではありません。脚光を浴びるのは、ほんの一握り。残念ながらごく普通の人の場合、主役になるのは、結婚式の披露宴の時か、自分のお葬式の時ぐらい？　そのお葬式も、自分は死んでいるので、主役を張る姿は見られません。うーん、残念。

歌手のさだまさしさんは、「小さな物語でも　自分の人生の中では　誰もがみな主人公」と歌いました。

圧倒的多数の人々は、スーパースターになれずとも、自分主演の人生物語を懸命に生きています。その人だけのシナリオがあり、人の数だけ違ったドラマがあります。

もっとも、自分の物語では、自分が主役でその他は脇役ですが、他の人の舞台では、彼らが主役で私は脇役か〝その他大勢〟。誰しも、主役と脇役・端役のいずれも兼ねています。

シナリオライター

実は自分の人生という主演作では、過ぎ去った過去をストーリー仕立てにするのも自分。記憶を恣意的に取捨選択、その断片をつなぎ合わせ起承転結を組み立て色づけをして、筋書きを作ります。その際、「何が起こったか」も大事ですが、それを「どう感じ、どう解釈したか」が、脚本の骨格となります。同じ素材でも、どこにスポットを当てるかで、恨み節にも人生讃歌にもなるのです。

自らの歩みに胸を張り、佳話にうまく編集している人が、一番幸せ。かのアリストテレスも、「幸福は自分に満足する人のものである」と言っているじゃありませんか。

観　客

歩行者天国の交差点。信号が変わるたび、はき出されるように、多くの人が行き交います。皆それぞれ、ファッションに気を使い、周りの視線を意識しています。ところが実際は、当人以外、他人のことなど無関心。観客のない、雑踏の中での一人芝居。

「無視され、すっかり忘れられているなんて寂しい」「私という人間が、この世に在ったということを、目撃し記憶に留める人がいてほしい」、そう思う人も。

教祖です！

ご存命の教祖が、一人ひとりの一挙手一投足を、心の動きまでつぶさにご覧になっています。

すべての生命に意味

三才の娘を亡くした諸井国三郎さんに、教祖は、「三才も一生」と諭されました。寿命は天理が差配する聖域。私たち人間は立ち入れません。しかし、百才の人も、三才で出直す幼児も、命の長短や境涯如何（いかん）に拘わらず、教祖から見れば、愛おしい主人公。無意味な生命など、あり得ません。

冒頭の討ち死にした下級武士にも、きっと、「生まれてよかった」と思う瞬間があったはず。一瞬一瞬を切り取れば、その輝きは、唯一無二。教祖には、〝その他大勢〟も〝名無しの権兵衛（ごんべえ）〟も、存在しないに違いありません。

心を病んだ若者も独居老人も、孤独ではないのです。「うれしいことも悲しいことも、お話しできる方がいる」「私の声に、耳を傾けていてくださる方がいる」「私主演の物語を知る方がいる」、それが、信仰のもつ力です。

25 苦労がなければ、人生、つまらない

広々とした空き地で、「これで自由に遊べばいい」とラケットとテニスボールを渡されます。

そこで、ラケットでボールを打ち、遠くに飛ばしてみます。しかし、打ったボールを拾いに行くのが面倒で、1~2回だけでおしまい。羽根つきのように打ち上げても、すぐに飽きてしまいます。

ところが、ところが、なのです。地面に長方形が描かれ、「打ったボールはこの白線内に入れろ」「最初は線の外から打て」といくつも規則が課され、さらに中央に網が張られて「打ったボールはこのネットを越えるべし」などとややこしい条件が与えられます。おまけに、こちらを攻撃する相手まで登場。こうなると俄然（がぜん）面白くなってきます。負けるものか、と目を輝かせます。スマホのゲームでも、強敵が現れ難関が立ちはだかるから、熱中します。

古代ローマの詩人ホラティウスは、「人生は人間に、大いなる苦労なしには何も与えぬ」と言い、近代フランスの哲学者は、「困難の挙句（あげく）の勝利ほど気持のいいものはない」と言いました。

重荷

かの徳川家康は、「人の一生は重荷を負ふて遠き道を往くがごとし」と記しています。なるほど。私たちは、至る所に障害物が潜むコースを、難題を抱え、青息吐息で走り続けるマラソン・ランナーなのかも。行けども行けども楽にならず、一難去ってまた一難。

しかもどこに向かっているのか、いつまで続くのか見通せない――。

ところが教祖は、それを〝重荷〟だとは仰せられません。〝陽気遊山〟だと言われるのです。折々の季節や景色を味わい、思わぬ出合いを楽しみながらの愉快な旅路だと。

陽気遊山

もちろん、それは欲しいものが何でも手に入り、好きな事を好きなだけする、自由で苦労も制約もない行路ではありません。そんなのはちょうど、ラケットとボールを与えられ、だだっ広いグラウンドにぽつんと立っているようなもの。少しも面白くありません。毎日が日曜日なら、時間を持て余しうんざりします。小人(しょうにん)が閑居(かんきょ)すれば、不善(ふぜん)を為(な)すに決まっています。

陽気遊山には、困難が不可欠。

勢いをつけてハードルを飛び越えたり、息が切れて立ち止まったり、時には滑って尻もちをつくことも。大変と言えば大変。しかしその〝大変〟がありがたいのです。「これはまずい！」と真っ青になるようなことさえ、実は、人生を彩る陽気遊山のお膳立て。私たち人間が、驚き、心ときめかすための親神様のお計らい。現実は侮れるほど甘くはありませんが、絶望するほど悲惨ではありません。

確かにどしゃ降りの日もあります。しかしトータルすれば、晴れの日の方がずっと多いのです。問題はせっかくの晴天の日を、先を心配したり過去を後悔して、雨天にしてしまうこと。心配や後悔が〝重荷〟となって心にのしかかるのです。まずは今日の晴天を、存分に満喫しましょう。

もしも今、「辛い」と感じていたら、それは人生の有益な時。懐を大きくする時。高村光太郎は、「冬よ、僕に来い」と、寒さに怯みませんでした。その心意気や、よし！うまくいったり、いかなかったり、波瀾万丈も平凡も――、これでいい、これがいいのです。遙か遠くへ探しに行かずとも、既に〝遊山〟の真っ只中。

幸せの青い鳥

貧しい木こりの家庭に、チルチルとミチルという兄妹がいました。ある夜、二人の許に魔法使いのお婆さんが来ます。「今、孫が病気で苦しんでいるの。もし〝幸せの青い鳥〟

がくれば病気は治るのよ。お願い、どうか見つけてきて」。二人は妖精に導かれ、様々な国を訪れます。最初は、亡くなったお祖父ちゃんとお祖母ちゃんが住む「思い出の国」。祖父母に教えてもらって二人は、うまく青い鳥を手にしました。ところが「思い出の国」を出たとたん、青い鳥は黒い鳥になってしまったのです。そこで次に、将来生まれくる赤ちゃんが住む「未来の国」を訪問。ここでも青い鳥を見つけたのですが、その国を出たとたん、黒い鳥に変わります。その後、「夜の国」や「贅沢の国」へ行きますが、やはり青い鳥を持ち帰ることはできません。

するとどこかから、やさしい声。「チルチルとミチル、起きなさい。今日はクリスマスよ」、お母さんです。二人は夢を見ていたのです。そして窓に掛けられた鳥かごを見ると、中に一枚の青い羽根があるではありませんか。「あ、ぼくたちが飼っているハトが、〝幸せの青い鳥〟だったんだ」。

ベルギーの作家メーテルリンクの『青い鳥』です。

幸せは、どこか遠くに探しにいかなくても、いつも私たちの身近にあるようです。要は、それに気づくか、どうか――。

祖母

祖母は生前、「結構やなぁ、ありがたいなぁ、もったいないないなぁ」と事ある毎に口にしました。子供心に私は、「あんなに楽しいのなら、年を取るのも悪くなさそう。信仰すればあんなふうになれるんだ」と、信仰とこれからの人生に、期待を膨らませました。

かつて祖母の妹が、私に語ったことがあります。「あんたのおばあちゃんね、若い頃は戦争を挟んで、それはそれは苦労したのよ。私は、あの人がいてくれたから、通れたの」と。七転八倒の日々が、祖母の感謝の気持ちを、ひときわ強くしたのだと、今なら私もわかります。

やはり〝安逸〟と〝陽気遊山〟は違うようです。

26 無用にして無名？ 結構じゃないか

旅人が、迷路に迷い込みました。直進したり戻ったり曲がったり、抜け出ようと必死。でもついに行き止まり。立ちはだかる壁を前に、老いたその人は、声を張りあげます。

「こっちへ来るな！ 行き詰りだぞ」

そしてその場で息絶えました。

それを聞いた後続は、その道を避け迂回路を取ります。その甲斐あってずいぶん先に進みました。が、前方に野獣が現れたのです。「猛獣がいる！」と大声で叫んで、あっけなく食べられてしまいました。

そこで三番手は、来た道を引き返し、再出発。先駆者の忠告を生かし、彼らの到達地点より遙か前方まで漕ぎ着けました。

けれども今度は、落とし穴。落下しながら、「罠だ！」と絶叫して落命しました。

たまたま背後に、若者がいました。彼は、先人たちの情報を元に、危険を回避。ついに迷宮の出口にたどり着いたのです。

無数の無名の人々

ゴールに到達した人は、歴史にその名を刻みます。ですが、途上で倒れた人の名は、忘れ去られます。何か痕跡を残したいと懸命に努力したのに、志成らず、無念。

しかし、その生涯は無駄ではありません。こうした人々なしに、迷路脱出は成功しなかったのです。彼らの命を賭した知見が、後進の道標となり、前線を推し進め、事が成りました。

通りすがりの人々が、手にした小石を一つずつ、置いていきます。それら無数の石が、いつしかうず高く積み上がり、文明文化の聳（そび）え立つ高峰（こうほう）となります。まるで、夥（おびただ）しい蟻たちが小さな土塊（どかい）を持ち寄り、蟻塚を築くかの如く。人類の歴史は、一握りの天才や英雄によってのみ、作られたのではありません。

ゴッホ

ゴッホの絵は、現在高く評価され、途方もない値段で取引されます。しかし生前中に売れたのは、たったの一枚。画才に絶望したゴッホは、自身を銃で撃ち亡くなりました。それが死後、作品は多くの人を魅了し、彼の絵を愛する人が世界中に輩出しました。もし、本人がそれを知っていれば、自死することはなかったでしょうに。

フランスのラスコー洞窟の壁画。石器時代のクロマニョン人が描いたそうですが、もちろん作者は不明。一九四〇年、近くで遊んでいた子供が見つけました。日の目を見るまで、一万五千年！　芸術性の高さから、多くの人が押し寄せますが、描いた本人がこの情景を見れば、目を白黒させるでしょう。

当人の知らぬところで、親神様は、その人の命を最大限に役立ててくださいます。だから、「自分はこの人生で何を為したのか」などと、悲観するには及びません。後世何が起こるか、まだ結果が出ていないのですから。

キムさん

私が、ロサンゼルスにあるアメリカ伝道庁で勤めていた頃のことです。事務所で仕事をしていると、キムさんという七十歳位の韓国人女性が入って来られました。

「私は韓国で生まれ、アメリカに移住して来た者です。さっきバスから、〝ＴＥＮＲＩＫＹＯ〟という看板が目に入り、思わず停留所で降りました。幼い頃、近所の教会のおばあさんを思い出したからです。おばあさんは、いつも手招きして私を中に迎え入れ、お菓子を手のひらに載せてくれました。お菓子が楽しみで、毎日教会に通いました。でも学校に入り勉強が忙しくなると、足が遠のき、それっきりになってしまいました。ところが今日、バスから〝ＴＥＮＲＩＫＹＯ〟の文字を目にした途端、おばあさんの笑顔を思い出し、なつかしくって下車したのです」

キムさんはそれから毎月月次祭に参拝、アメリカ修養会を修了し、そしておぢばに帰って、晴れてようぼくになりました。

その昔、韓国の老会長さんは、まさか目の前の幼い女の子が、将来アメリカに渡り、六十年を経て会長さんを思い出して伝道庁を訪ね、ようぼくになるなんて、夢にも思わなかったに違いありません。

会長さんは、とっくの昔に出直されているはず（健在なら少なくとも百四十歳以上ですから）。しかしもし、会長さんが幼いキムさんにお菓子をあげてなかったら、キムさんが〝TENRIKYO〟の看板を目にしても、用事もない停留所で降りるはずはありません。会長さんが韓国で蒔かれた種が、その方の出直し後、アメリカでひょっこり芽を出したのです。

種を播くのは私たち人間。それをいつどこでどんな形で実らすかは、親神様のお心次第。自分が植えた種から、いつか、小さな美しい花が咲く、そんな慎ましくも暖かな希望があれば、張り合いをもって暮らせます。

それはちょうど、来世のために宝くじを買うようなもの。当たるか当たらないか、今生で分からずとも、一向に構いません。いや、むしろ分からない方がいいのです。喜びを遠い未来に取っておけば、楽しみが持続し、もっと値打ちが増すというもの。手元にくじ券があるだけで、毎日がわくわくします。

曾祖父母八人全員の名前を言えますか？

百数十名の学生に尋ねたことがあります。

「あなたには二人の両親、四人の祖父母、八人の曾祖父母がいますよね。その八人の曾祖父母全員の名前が言えますか？　言える人は手をあげてください」

誰も手をあげませんでした。「ひ孫にさえ、自分の名前も伝わらないのだ」と、複雑な心境でした。

出直せば、時とともに私が生きた痕跡は風化し、人々の記憶からも消えていきます。もっとも、みまかった後のことなど、私は知る由もありませんが――。ならいっそ、きれいさっぱり跡形もなく消え去り、忘れてもらうのも悪くない、と私は思っています。

その代わり将来、できればなるだけ早く、新しい身体をお借りして生まれ替わってきたいのです。「出直したらまたこの世に戻ってきて、新たな人生を今生以上に楽しむぞ」「今生でできなかったあれもこれも、来世で必ずチャレンジしよう」と、愉快な人生劇場をいろいろ思い描いています。どんな来世が待っているのか、想像するだに心和みます。

そうそう、一つ自慢話があります。私は妻に、来世分のプロポーズもしておきました。

これで来世も、安泰、安泰。

大木

山深い岩地に一本の老大木。枝を広げ、村人には木陰、鳥たちには格好の住処を提供しています。

通りすがりの旅商人が尋ねます。

「どうすれば、あなたのように長生きをして、多くの者に恩恵を与えられるのでしょう?」

老木曰く。

「私はこんな山奥の、陽のあたらぬ岩陰に芽を出しました。どの木よりも発育が悪く、しかも節くれだっていたのです。木肌は赤く固くて加工しにくい。商品価値はゼロ。だから木こりは、私に見向きもしませんでした。そのため、長年放置されこんなに生き長らえたのです。こうした私が、今何かの用に立っているなら、望外の喜びです」

無用なるが故に、伐採(ばっさい)されず齢(よわい)を重ね、いつしかそこに〝在る〟だけで、周辺へ恵みをもたらす大木。人々に敬愛され信望を集めています。

「名声は名声を求める人を避け、名声を顧(かえり)みぬ人に従う」

哲学者ショーペンハウアーはうまく言いました。

無用にして無名？　いいじゃないですか。教祖がちゃんとご覧になっているのですから。

27 時間の不思議

もし、未来に旅行し、様子を覗(のぞ)けるなら、面白そうですね。

数カ月先に行き、試験問題をメモして来れば、今度の受験合格間違いなし。明日に飛んで新聞を買い、株価や競艇の順位を調べて戻って来れば、安心して大金を投資、大儲け確実です。あるいは、「踏ん張るか、見切りをつけるか」と悩んでいる問題も、結果を知れば迷わずにすみますし、将来の結婚生活を見て来れば、相手を選ぶのも間違いません。

また自分の出直し後、子供や孫がどんな暮らしをしているか、見てみたい気持ちも。

それでは反対に、もし昔に返れるとしたら、どうでしょう。

シミもシワもなくスリムだった少女時代、バラ色の恋愛時代に舞い戻りたいという女性はいそうです。

あの時、しておけばよかったこと、しなければよかったこと、訂正したいこともありそうです。

「去年の政見会場に逆戻りして、発言を取り消したい。あの失言さえなければ、今も大臣だったのに」

「生意気盛りに、逆上して親にひどい言葉を投げつけた。親の出直す前に戻って、許しを乞いたい……」

さらにまた、「時間をストップできれば」と願うことも。たとえば、朝寝坊し会社に遅刻しそうな時です。時間を止めて、ゆっくり朝食、新聞を読んで、入念にお化粧。職場に到着したら時間を動かし、素知らぬ顔。

現在しかない

SF映画なら、タイムマシーンに乗って、過去や未来を往来できます。DVDなら、画像を静止させたり、巻き戻したり、先送りするのも簡単。お気に入りのシーンを繰り返し観ることも。

しかし残念ながら現実は、未来や過去を行き来できません。時を停止するのも再現するのも叶いません。

中世の哲学者アウグスティヌスは、次のように考えました。

過去は既に過ぎ去っている。未来はまだ来ていない。過去や未来は頭の中にあるだけで、本当に在るといえるのは、「現在」のみ。過去とは、あんなことがあったという「記憶」、そして未来とは、これから起こるだろうとの「予測」に過ぎない。いずれもその実体はない、というのです。

人生の風景は、車窓の景色のように次々と移り変わります。過去から未来への一方通行。

同じ光景は二度とありません。

数秒先に待ち受ける展開を知らないまま、私たちは、刻一刻と判断を迫られます。実験や調査をする余裕はなく、科学の成果が出揃うのを待っておれません。一寸先は闇。ちょうど目隠しされたまま、「えいっ」と前方に踏み出すようなもの。しかも、やり直せないのです。

決断が吉と出るか凶と出るか。それが、人生の妙味です。

時間の速度

それにしても、時間は不思議。

時計の針は均等に進みますが、私たちの実感は違います。時間の速度は一定ではありません。

夜眠りに就き、朝目覚めるまでは超特急。コトンと寝入れば、もう朝。また手術前、麻酔を打つと意識が途絶え、次に意識が戻る時には、すでに手術は終わっています。その間、時間はワープして抜け落ちます。

ところが深夜眠れぬ時間の長いこと。夜が永遠に明けぬかと思うほど。待ち合わせに現れない恋人を待つ間も、一分が一時間にも感じます。

きっと待つコツは、待たないことのようですね。

そうです。何かに夢中だと、「えっ、もうこんな時刻」と、驚くくらい早いのです。多忙の日々は、あっという間に過ぎ去ります。しかし後から振り返れば、「あれもした」「これもした」と、中身がぎっしり詰まって、盛りだくさん。

一方、退屈で時間を持て余した歳月は、後から思うと、「あれ、あんな長い年月、何をしていたっけ」と、思い出せないほど空疎です。

数字で表す客観的な時間と、私たちが体感する時間とでは、スピードも密度も違うようです。

だから、「あの人は若くして出直し気の毒だ」などと、同情は不要。当人にすれば、誰よりも濃く生きて、凝縮したいい人生だったかもしれないからです。命の長短は、享年だけでは、測れません。何年生きようが、〝今この瞬間〟しかない私たち。

パラパラ漫画

パラパラ漫画をご存じですか。

人の動作や表情を、少しずつずらした何枚かの絵を描き、それを素早くパラパラめくると、登場人物がまるで生きているかのように動いて見えます。

確かにその中の一枚の絵は、前頁の続きで、次頁のコマへの橋渡し。しかしそれぞれの情景は、一葉の絵画として完成しています。

人の一生は、まるで多くの絵がつながった、パラパラ漫画のよう。時間は川の流れのように、止まることなく移り行きます。しかし、その一瞬を切り取ると、それは単なる〝経過〟ではなく、立体的で色彩豊かな世界が広がる一幅(ぷく)の絵なのです。

もちろん人生というパラパラ漫画は、いつか絵が尽き、止まります。それがいつどんな場面なのかは、知る由もありません。

英国の作家モームは言います。

「実人生の不便なことの一つは、初めと終わりのある完結した物語を提供してくれないことだ」と。

確かに実際の生涯は、一人の人間が頭の中で作る物語のようにはいきません。仕組んだ伏線が次第につながり、最後に大団円を迎えて幕を閉じる、とはいかないことも。

しかし大事なのは、結末以上に、途上の一コマ一コマ。

祈り

渇いた喉に流し込むビールの旨さ、失恋の疼くような胸の痛み、咽せるような花の香り、夕立の雨の匂い、たき火のパチパチ弾ける音、清流に手を入れた時の冷たさ、抱いた赤ちゃんの柔らかな重み。一瞬一瞬に生命のよろこびが宿ります。〝今〟には長さはありません。だからこそ、〝この瞬間〟が愛おしいのです。

過ぎた日を悔い、まだ見ぬ日を怖れ、今日を曇らせる。ああ、もったいない。

過去の過ちは教祖にお詫びし、お許しいただき、未来のことは教祖にお任せして、心はいつも清新。昨日の無事を深謝し、明日に満帆の希望を掲げて、今日という日に全力投球。

「一日生涯」という、明朗爽快な生き方です。

こうしている今も、一度きりの極上の名画が、現れては消えていきます。存分に味わねば損。

28 これもまた、よし！

中国の古い時代、他国と接する城塞に、一人の年寄りが住んでいました。ある時、その老人自慢の馬が、城塁を抜け出し、国境を越えて逃げ去ったのです。知人は、「残念ですね。お祭しします」と、老人を慰めました。ところが彼は、「これは吉い知らせだ」と意気軒昂。

しばらくすると、逃げ出した馬が、他民族の駿馬をたくさん連れて戻ってきました。近所の人たちは、「馬が戻ってよかった。しかも多くの良馬まで引き連れて」と、お祝いを言いました。すると老人は「これが災いとならねばいいが……」と物憂げ。

案の定、彼の倅が新しく来た馬に乗ったところ、振り落とされて足を骨折しました。隣人が気の毒がって、老人を見舞ったところ、老人は、「私にとっては救いだ」と、意に介しません。

少しして、異民族の襲撃を受けました。若者はみんな戦に駆り出され、多くが戦死します。けれど彼の息子は落馬事故の怪我のお陰で戦闘に加われず、命拾いをしたのです。

これは、「人間万事塞翁が馬」という故事。「人間」とは「世間」という意味で、「塞翁」とは「城塞に住む老人」を意味します。世の禍福は転変常なく、何が吉となり凶となるかわからないことを言います。

ボール

上空から落ちてきたボール。ポーン、ポーンと高く跳ね、アスファルトを弾んで行きます。交差点にさしかかった時、横から飛び出した自動車と衝突、脇道へ飛ばされます。しばらく行くと立て看板にぶつかり、方向転換。小石を弾き飛ばし、また向きが変わったところで、ボールは水たまりにはまってずぶ濡れ。スピードが鈍った頃、空き地から飛んで来たボールが直撃。強く撥ね飛ばされ、勢い回復です。すると、通りかかった子供がボールをナイス・キャッチ。くるりと向きを変え、無造作に投げ捨てました。ボールはころころ転がりますが、もう前のように飛び撥ねません。そして溝にはまって動かなくなりました。

「おーい、ここはどこだ？」、ボールは叫びます。でも、応答なし。

「私の旅もここまでか」、観念しかけた頃、犬が、トットットッとやって来て、ボールを咥えて、ポイ。

ボールは再び転がり始めます。

こんなところまで来たのは、〝偶然が重なっただけ〟なのでしょうか、それとも来るべくして来た、既にそんな筋書きがボールのために書かれていたのでしょうか……。

人生、かくの如し

人生、思惑通りにいかぬもの。

このボールのように、何が起こって、どこへ行くのか、予測不能。

だから、面白い！

とは言うものの、自分の人生が、自分の与(あずか)り知らぬところで決まってしまうのは、なにか釈然としない……。

とりわけ、悪路が続く時。

「ここまでひどい道だった。これからもっと悪くなるかもしれない」不吉なことばかり、あぶり出しの文字のように、心に浮かびます。考えれば考えるほど、憂鬱になります。

過去を悔い、現在を嘆き、未来を怖れていると、力が削(そ)がれ、できることもできなくなります。失望は、エネルギーを吸い取り、気力を奪って、人をさらに弱くするのです。

「過ぎ去った不幸を嘆くのは、すぐにまた新しい不幸を招くもとだ」

シェイクスピアも警告します。

ジンクス

ちなみに私には、ジンクスがあります。それは、「出だしで躓(つまず)くと、最後は良い結果になる」というものです。まさに「塞翁が馬」。

事実私の場合そうだったのです。

それにこのように考えていると、始めに転倒しても落ち込まずにすみ、「これもまたよし！」と、かえって力が湧くのです。

では、好スタートを切った時は？　そんな時はそもそもそんなジンクスなど思い出さないので、「幸先いいぞ」と元気なもの。要は、考えよう。時に脳天気もいいものです。

目標を達成したものの

もちろん、転けることなくすんなりと夢を叶える人もいます。

ただ、せっかく望む地点に来たものの、さほどうれしくないということも。「あれ、想像していたのと違う。下から見上げていた時は、そこは理想郷のはずだった。でも実際に来てみると、殺伐として何もない。こんなはずじゃなかった」と、肩を落とします。

ところが周囲の人々は、羨望の目で見ています。「あいつは、何て運がいいのだろう。あんな高いところまで上り詰めて。それに比べ俺ときたら、こんな下界で一人、鬱々と燻っている」と、身もだえして嫉妬。

多忙を極める人は、のんびりくつろぐ人を見て羨み、暇で退屈な人は、忙殺される人を羨みます。

「私は自分にないものを見て、自分のことを不幸だと思っていた。まわりの人は、私にあるものを見て、私のことを幸せだと思っていた」というわけです。

親神様から自分に与わった無形の富に気づかない人は、たとえ世界中の宝を手にしても、不満でしょう。

ドストエフスキーは言います。

「人間が不幸なのは、自分が幸福であることを知らないからだ」と。

親神様がなさること

日々の出来事は、単なる偶然の羅列ではありません。

「人生はそれぞれの時期に、それぞれの目的と課題を持っている」と、近世スイスの賢人ヒルティは明言。

物事には理由があり、起こるべくして起こってくるのです。「成ってくるのが、天の理」と言われます。

ただし、天理といっても、それは法律のように非情で冷たいものではありません。私たち人間をなんとかたすけたいという、親神様の温かな〝見えざる手〟なのです。世界も、人生も、親神様が先を見据えて仕込まれた伏線に満ちています。

親神様には親神様のお考えがおありです。ですが、いちいち説明はされません。私たちが悟るしかないのです。禍(か)と見るか、福と見るか。答えを見つけるのは、私たち。

「不幸は、大半が人生に対する誤った解釈のせいだ」

十六世紀フランスの哲学者モンテーニュの指摘です。

不遇の時、親神様の意図がわからず、「不条理だ」と憤慨します。でもいつか、「ああ、やっぱりあれもこれも親神様だった。あのことがあったから、今の幸せがある」と、感謝する日が訪れるはず。

すべては良き日のための伏線(ふくせん)。

ライプニッツ

近世ドイツでのこと。

「この世とは、どんなところか」、王妃（おうひ）が尋ねました。哲学者ライプニッツは、即答したそうです。「この世はありうるかぎり、最良の世界です」と。

もちろんライプニッツも、この世以外の別の世界を見てきたわけではありません。従って比べるものはなく、最良だと主張する論拠も不明。

ただ、どんな境遇にあっても、「これが最善」と考えた方が、うまくいくに決まっています。

もっとひどい目に遭っていたかもしれないのに、今こうして恙（つつが）なく結構に暮らすありがたさ。

あたかも真冬にあって、春の暖かな陽射しのように麗（うら）らかな教祖。すべてを吉とし、厳しいふしから、次々と明るく力強い芽を出していかれたのです。

荒野の木

砂漠のオアシスに、一本の樹。彼は孤独を嘆きます。

「なぜ私は、こんな砂と石しかない所に、一人ポツンといるのか。これでは、私の能力を生かす術(すべ)がないじゃないか」

それを耳にした太陽は、彼をたしなめます。

「何を言う。お前は、広漠とした荒野でただ一人、梢(こずえ)に葉を茂らせるからこそ、遠くの旅人たちがお前のことを噂し、称え、頼りにして集まって来るのだ。もし、緑豊かな山中なら、お前は木々の間に埋没し、誰も振り向かないだろう。ここにあるから、お前の値打ちがあるのだ。お前は、特に何をせずとも、そこにいるだけで、大きな役割を果たしているのだよ。誇りを持っていい」

野の花

人里離れた原野に、一輪の花が咲いています。その美しさに惹(ひ)かれ、小鳥が、花に語りかけます。

「あなたは、なぜ、見る人もいないこんな寂しい所で咲いているの？　これほど可憐で清楚な花が、誰にも鑑賞されないなんて、惜しいよ。これが里山なら、多くの人の目を楽しませられるのに」

花は、にこにこして答えます。

「褒めてくれてありがとう。でも私は、誰かに見られたくて、咲いているのではないの。誰かのためではなく、自分のために咲いているのよ。花だから咲いているだけ。美しいか、醜(みにく)いかは、私にはわかりません。ただ野花として生を享け、ここで芽を出し、旬が来て、こうして開花しています。でもいつの日か、萎(しお)れて枯れて消えるでしょう。それでいいのです。私は、天から授かった資性のままに、今ここでこうして咲いていることが、喜びなのです」

29 老年という希望

「パンドラの箱」というギリシャ神話をご存じですか？

ギリシャの神様ゼウスは、パンドラという女性を造り、「好奇心」を与え、ある男の許に妻として送り込みました。

男の家には黄金の箱があり、彼はパンドラに、「決して箱を開けるな」と命じます。ところがパンドラは、「なぜ？　中には何があるの？　すごい宝物かも」と、そわそわ。なにせ、ゼウスから「好奇心」を授かっているのです。とうとう彼女は、こっそり蓋を開け、中を覗きます。その瞬間、中から、病苦、老醜、貧困、不和など、忌まわしいものが、出てくるわ、出てくるわ。瞬く間に世界中に広がります。あわてて蓋をしたときには、箱には、「希望」だけが残りました――というお話。

つまり、世に「災厄」が満ちるのは、パンドラが「好奇心」ゆえに戒を破ったからで、それでもまだ「希望」が手元にあるお陰で、私たちは、どんな惨苦(さんく)に見舞われても、絶望せず生きていけるというのです。

不運か、強運か？

「俺は、入試も就職試験もダメだった。ミュージシャンにもなれなかった。宝くじも当たらない。試みは悉く(ことごとく)失敗、俺ほど不運な男はない」

ちょっと、待った！　悲観する前に、こんな生物と数学の話を、聞いてください。

お父さんの体内で作られる精子の数は、生涯で兆を超えるそうです。一方、お母さんの卵子は数十万個。これら両親の夥しい(おびただしい)生殖細胞のうち、一対の精子と卵子が受精して、〝私〟という人間になる組み合わせの確率は、ええと、ええと……、小数点以下ゼロの数が多すぎる。とにかく、可能性は限りなくゼロに近いのです。他の受精できなかった無数の精子と卵子は、すべて死滅。まして、星の数ほど男女がいるのに、お父さんとお母さんが出会って結婚する確率となると、私には到底計算できません。

そんなあり得ないことが起こって、生まれた私。とんでもない強運の持ち主です。

さらに私には、数え切れないご先祖様がおられます（二十五歳で出産するとして、三十世代前、鎌倉時代まで遡ると、先祖の数は約二十一億人！）。そのうち一人でも欠ければ、私はいません。こうしたご先祖様も全員、私同様、各々の父母から奇蹟的な確率で生まれ、その奇蹟が一度も途切れず続いて、私がいるのです。

これは、私だけではありません。地上の人間は例外なく、超難関の椅子取りゲームを、何億年にも渡る膨大な世代を経て一敗もせず勝ち進んだ、連戦連勝の強者ばかり。希有な僥倖を得た、極めつきの果報者。

これを喜ばずして、何を喜ぶというのでしょう。

「いやいや、そんなの偶然の積み重ねだよ」と、あなたは笑うかも。

しかし私にしてみれば、私がいて、この世界があります。もし私がいなければ、世界は存在しないも同然。〝たまたま〟〝偶発的に〟私が生まれたとなれば、私の存在意義は曖昧になります。

「親神様の特別なお計らいがあって、私がいる」と思うから、自分を喜び、うれしく暮らせます。我田引水に過ぎるでしょうか。

何のために？

妻に先立たれた老爺(ろうや)が、毎日墓地に行って、日が暮れるまで、ぼんやり墓石を眺めています。やがて訪れるだろう自身の出直しを考えて、時を過ごします。もう何年も――。

分からないではありません。しかし私たちは、「出直すために生まれた」のではありません。出直すのは確実だとしても、生きている間に面白いことがたくさんあって、悲喜哀(ひきあい)歓(かん)を満喫するために、誕生したのです。「いずれ出直すからこそ、生きている今がありがたい」のです。老後とはいえ、まだ途中。ほら、私たちは、排便するために食べるのではなく、おいしく味わい、活動するために食べるのですから。

「人間は、一個のボール、一匹のうさぎを追いかけるのにも熱中する」と、天才パスカルは言いました。

事実、多くの人が、金銭ゲームや出世レースに目の色を変えます。人より速く走ること、でかい魚を釣り上げること、歌手や俳優の追っかけに熱をあげる人も。ありがたいことに、人間は、どんなことにも夢中になれるようです。

私が目下危惧するのは、年を取り、何にも興味を覚えなくなることです。そうなれば時間をもて余し、毎日が苦痛でしょうね。いくつになっても、好奇心は必需品。そう言えばゼウスはパンドラに、「好奇心」を贈りました。

説得力ある希望

文人ラ・ロシュフコーは、「希望はすこぶる嘘つきではあるが、とにかくわれわれを愉しい小道を経て、人生の終わりまで連れていってくれる」と語ります。希望に裏切られるリスクも覚悟して、その効用を説くのです。叶うかどうか分からないからこそ、心に火がつき、わくわくします。希望があれば、苦しくとも踏ん張れます。希望があれば、待つことができます。希望は、生命力発露の源泉です。

また、ルネサンスの政略家マキャベリは、「天国へ行くのに最も有効な方法は、地獄へ行く道を熟知することである」と、彼らしい言葉を残しています。光源に向かうとき、影に潜むぬかるみの所在も知っておかねば、足を取られます。

世情に精通し、人間の暗い情念も知っての善良さ。無知ゆえの夢もありますが、それは脆いもの。誰かの耳打ち一つで壊れます。しかし、修羅場をくぐり抜けた老人の純朴な希望、これは説得力があります。

いい人生だった

詩人の萩原朔太郎は、「幸福人とは、過去の自分の生涯から満足だけを記憶している人々であり、不幸人とは、その反対を記憶している人々である」と記しました。

私は生死を分かつ手術直前、それまで自分が恵まれたと思うことを列挙してみました。そしてそれを眺めると、改めて、「ああ、いい人生だったなぁ」と、ありがたくて、ありがたくて、涙が出ました。

かの辛辣な哲学者ショーペンハウエルでさえ、「幸せを数えたら、あなたはすぐに幸せになれる」と言っているくらいです。

信仰という希望

私の場合、信仰への取り組みは、年齢とともに変化しました。

血気盛り、私は信仰に、理念や理想を求めました。「人間、いかに生きるべきか」「この世界を動かす原理原則とは」その答えを模索したのです。

壮齢になると、仕事や私生活で幾多の挫折を経験し、現実的な救済を信仰に求めました。窮地から脱したくて、苦悩を解消したくて、真剣に祈りました。

さらに五十代半ば。私は身上をいただき、出直しが視界に居座ります。人の生き死に、老い、人生の意味が、信仰の主題になりました。「この先長くない」と感じました。ところがそんなある日、「あ、そうだ。教祖は、人間の定命は百十五才と仰せられた。なら、それを信じよう」と決めたのです。百十五才までには、まだ六十年も。そう思った瞬間、胸に清爽な薫風(くんぷう)が吹き抜けました。

そして六十代の今、信仰は、長年暮らす家屋のように体に馴染み、胸の内を柔らかく照らし温める火影(ほかげ)のようになりました。

形は変わっても、信仰はいつも、私の希望の供給元となりました。

老人の特権

体の不調や痛みを嘆くのは、至って自然で、健全な不満。それを、「うれしく思え」と言われても、いささか無理かも。

しかしどんな状況を迎えても、生きているというのは、親神様が「まだ生きていよ」と言われている証拠です。老いても弱っても、希望は、どこかに潜むはず。要は、それに気づくかどうか。「パンドラの箱」の話では、救われるには、「希望の存在に気づくこと」という条件が付きます。

そう、幸せは、希望を見つけることに長けた人のもの。

確かに高齢になれば、しわも増え、物忘れも顕著に、動きもぎくしゃくします。『ガリヴァー旅行記』の著者スウィフトは、「誰しも長生きを望むが、老化を望むものはいない」と、急所をチクリ。

とは言え、誕生し成長したら、いつか衰え出直すのは、天然自然。父は晩年、「子どもの成長もご守護だが、年を取り弱って出直すのも、神さんのご守護じゃ」と、強がりました。

「よぼよぼになった」というのは、言い換えれば、それだけ長く生かせてもらったということ。お気に入りの服も長く着れば、黄ばみもし、破れもします。お借りした体だって、いつまでも新品同様を望む方が、厚かましい。むしろ、ボロボロになるまで使わせてもらったことに、感謝。

なるほど、昨日楽々とできたことが、今日はできないかも。それでも老化は、〝後退〟ではなく、〝変化〟です。どう言い繕っても、冬は寒く、木枯らしも吹きます。しかし、それを秋から冬への〝後退〟とは言いません。未知の領域へ移りゆく〝変化〟です。どんな朝も夕暮れを迎えます。時を止められぬなら、時に順応し、まだ見ぬ冬景色や、夜空の星明かりを賞翫するとしましょう。

年とともに親切心がなくなり、意地悪くなる人がいます。

「年にふさわしい知恵を持たぬ者は、年にふさわしい災いがすべて降りかかる」

思想家ヴォルテールの手厳しいひと言。一方、齢を重ね、忍耐強さと思慮深さを身につける〝老いの達人〟も。年齢とともに品位が加われば、周りから敬愛されます。

かつて炎を吹き上げた炭が、今は灰に埋まり、赤く良い色に熾っています。まだまだ熱を発し、役に立ちそう。

老齢には、老齢ならではの善きことがたくさんあります。時代の変遷を具に体験できたこと。ビルや道路ができる前の田園風景を知っていること。若者が知らない昔の人の笑顔を思い出せること。道端の可憐な花に見入ったり、生き物たちがひとしお愛おしくなったり、夕日の美しさに感動する機会も増えるでしょう。細々したことは苦手になりますが、その分単純になって、物事の輪郭がすっきりし、核心に目が行きます。このことは、おたすけで力を発揮。そして何より、体が思い通り動いた頃以上に、親神様のご守護のありがたさを、ひしひしと感じます。

子どもの頃私には、「あんなふうに年を取れれば、年を取ることも悪くないなぁ」「信仰していれば、あのようになれるんだ」と憧れたお年寄りがいました。その姿は、今私のお手本であり、希望です。

チューブに残った歯磨き粉

私は、チューブに残った歯磨き粉は、最後まで絞り出し、使い切ります。「もう空になった」と思っても、ぎゅっぎゅっとしごくと、結構残っていて、まだ何回か使えたりします。かつてチューブがアルミ製だった頃は、ハサミでちょん切り、わずかな歯磨き粉も残すまいとこそぎ取ったものです。

自分にどれだけの命、この世での役目が残っているかは、知りません。しかしできれば、歯磨き粉を使い切るように、命を最後の一滴まで使い切りたいと望みます。

そして、きれいに使い終わったら？　そのときには、親神様の御心のままその懐へ、従容と。

と、偉そうに宣いますが、実際にその時が近づけば、私は取り乱し、のたうちまわるかも。でも、それもよし。「未練がある」ということは、それだけ生涯がいいものだったということですから。

自殺を考える人

自殺を思い立ち、断崖に向かう人。と、突然、車が猛スピードで突進してきます。「危ないっ！」、思わず身を翻し、事故を回避。「ああ、たすかった」と胸をなで下ろし、そして運転手に向かって怒鳴ります。「気をつけろ。危うく死ぬところだったぞ！」と。でも、そのまま車にはねられていれば、わざわざ崖から飛び降りずともすんだのに。誰しも体の奥底に、「生きたい」という強い本能がうごめいています。

「早くお迎えが来てほしい」と言う老人が、健康サプリメントを欠かさず、体力保持の散歩に励みます。

生きることが喜びだからこそ、命を次世代に継承したいと望みます。命が嫌で、どうしてそんな〝嫌なもの〟を、わざわざ子供を作って子孫に引き継ごうとするでしょうか。

文頭で述べたように、私たちは皆、奇蹟の連続で生を享けた究極の幸せ者。せっかく賜ったそんな命を、粗末にしてなるものか。

ドジョウ

秋の穫り入れを無事終えて、一息つく農家のおじいさん。田圃(たんぼ)のあぜ道に腰掛け、ひとり言。

「やれやれ、今年もやっと片付いた。野良仕事はきついが、収穫の時期だけはまんざらじゃない」

それを聞いたドジョウは、驚きます。

「ええっ、まんざらじゃない？　しかも、収穫の時だけ？　ぼくなんか、毎日毎秒、『生きるって最高だ！』って思ってるけど」

ドジョウはいつも、ピチピチ跳ねて楽しそう。頭を抱え、落ち込むドジョウなど、見たことがありません。

そう言えば、親神様が人間を造られるとき、ドジョウを「人間のたね」とされました。だから年老いても、威勢のいい〝ドジョウ〟が、体のどこかで生息しているはず。

どうかこの先、体の自由が利かなくなっても、微笑むことができますように。節々が痛んでも、ユーモアを忘れませんように。いつまでも、思いやりと感謝をなくしませんように。私の希(こいねが)うところです。

第5章

逆境

30 神様からの宿題

「ふーむ、なるほどなるほど。なぁーんだ、簡単じゃないか」

学生時代のことです。数学の授業で、先生が黒板で手際よく問題を解くのを眺めながら、私は高を括りました。ところが、なのです。同様の問題が宿題に出され、家で取りかかると、「あれぇ、これってどうするんだ……」と、たちまちお手上げ。そこで、夜遅くまであれこれ試行錯誤します。そしてやっと解けたとき、今度こそ大丈夫。もっと難しい問題にも対応できる、本物の学力が身についています。

同様に、親神様も私たちに、宿題を出されます。

自然災害や民族紛争など、人類全体で取り組むべき宿題があります。また、日本という国にもその時々の宿題があり、地域社会や会社、各家庭も独自の宿題を抱えています。一つの家族の中でも、夫には夫の、妻には妻の、子供には子供の、それぞれの宿題があるものです。

教理という答えを、知識として知っているだけでは不十分。熟知しているつもりでも、実際に問題が勃発すると、取り乱し迷走します。

だから親神様は、あえて宿題を課されるのです。私たちをいじめるためでもなければ、絶望させるためでもありません。親神様が出される宿題は、抽象的な課題ではなく、経験を通してしか学び得ない現実的で具体的なもの。

病気や事故、対人問題や男女問題、親子や夫婦の揉め事等々、宿題の形は千差万別。突然難題を突きつけられ、私たちは激しく動揺。「手に負えない。解決不能。自分はおしまい……」と、虚脱状態に沈み込むことも。しかし世の中、宿題のない人などいないはず。

人に代わってもらえない

親神様は、絶妙のタイミングで、急所をピシッと突かれます。見透かしたように、一番辛いところをギュッと押さえられるのです。それだけに、こたえます。

それは、私にとって一番必要な、私専用の宿題。だから人に代わってもらえません。親であっても、子の宿題をしてやる訳にはいきません。自分の宿題は、自分でしないといけないのです。

親神様からの宿題は、簡単なのもあれば、手強いのもあります。必死で体当たりしても、すっきり解決しないものもあります。一生抱えるのもあります。およそ生きている限り、何らかの課題を持つのが人間。全部片付いたら、この世でなすべき仕事はなくなり、お役御免。

生物の進化

例えば動物たちは、速く走ったり、力を強くすることで、生き残ってきました。魚は水に適応し、鳥は空を飛ぶことで、「生き延びる」という命題をクリアしてきたのです。ところが人間は、走っても動物に負け、泳いでも魚に負け、飛んでも鳥に負けてしまいます。どれも中途半端。

私たちは、動物や魚や鳥のように、明解な解決策を見つけられませんでした。ただ、あの手この手と手当たり次第何でも試み、死に物狂いで適応力を高め能力を磨いて、霊長類の頂点に君臨する今日のヒトにまで進化したのです。他の生き物のように早々と解答を出せなかったが故に、決死の努力を迫られて、人間という高みに達したのです。

だから宿題は、すぐに片付かなくともいいのです。一進一退、千辛万苦の道中こそ、親神様が望まれるもの。その過程が、人を作るからです。

辛くて弱音を吐いたり、悪態をつくのは仕方ないとしても、すっかりあきらめてしまわないこと。あきらめた時の親神様は、容赦ありません。どんな生き物も、生き抜く意志を放棄すれば、絶滅。

目的の無い闇

突然災厄が降りかかり、立っている大地が消失し、あたかも宇宙空間に放り出されたような不安。どちらを向いて、何をすればいいか、闇雲に手足をばたつかせるだけ。

「選りに選ってなぜ私の身に？　でたらめだ。理不尽だ。神は無情だ」。心は崩壊寸前。

そんなとき、ハッと閃きます。「私は見棄てられたのではない。私は〝被害者〟なんかじゃない。これは、親神様が私を見込まれてのことだ。親神様からの宿題なのだ！」。

苦難の意味が分かると、トンネルの向こうに明かりが見えます。

苦難を、厄介な負荷とみるか、自分に有益な宿題と見るかで、人生は一変。

殻の中は、生温かくて居心地がいいもの。外敵を防ぎ、誰に気兼ねも要りません。しかしぬるま湯に浸っていると、人間はふやけます。殻がやがて狭窄壁となり、身動きを封じ、全身を圧迫します。放置すれば窒息死。脱皮できなかったヘビは、死ぬそうです。

だから親神様は、宿題という衝撃を与え、激しく揺さぶられます。私が殻から這い出さざるを得ない状況を作って、私を救い出そうとされるのです。

何度も壁に頭を打ちつけ、見栄や慢心など不純物が剥がれ落ちます。苦悩がいよいよ極限に達すると、バーンと一挙に弾けます。殻を破る瞬間です。

そのとき、自分の中に潜む財宝を掘り当てます。その後の人生の拠り所。私の場合、自分の弱さを思い知ったこと、これが最大の強みとなりました。

親神様の荒療治

私もかつて、身上と事情が束になって押し寄せ、頭を抱えうずくまったことが何度か。

土俵際に追い詰められ、俵に足の指だけ残して必死で堪えている状態。踏みとどまれるか、土俵を割るか、紙一重です。

しかし耐える努力も苦しいですが、あきらめた後の転落はもっと悲惨。一歩、土俵の外に踏み出た途端、転がるように地の底へ。自分に失望、矜持を失くし、人を恨み世の中を憎んで、あっという間に人相まで悪くなる人もいます。

逃げる所があれば、人間、追い詰められるとそこに逃げ込みます。しかし、逃げ道が閉ざされたら、覚悟を決める他ありません。親神様は逃げ場を閉ざし、私たちを崖っぷちに追い詰めて、「さぁ、どうする?」と、奮起を迫られます。いわば、親神様の荒療治。

そこで腐ったら、ダメ。プチンと切れたら、負け。実は、誰が見ても「腹を立てて当然」「切れても仕方がない」というような理不尽な窮境にあって、ぐっと堪えて切らずにつなぐ、親神様から高得点を稼ぎだす好機です。それができれば、積年の宿題を根本から解決する、人生の転換期となります。

ある映画の主人公がつぶやきました。「私の最大の強味は、私の弱味と同じ泉から湧き出ているのよ」と。逆境を乗り越えて、その人の弱点だったところが、一番の切り札になっています。

台風

凄まじい暴風雨で、大きな被害をもたらす台風。しかし、その中心には「台風の目」と呼ばれ、青空さえ見えるスポットがあるそうです。

人生で出合う苦難の嵐。そこから逃げようとすると、どこまでも追いかけてきて、身も心もボロボロになります。そんな時、逃げることを止め、思い切って教祖のふところに飛び込みます。

すると、そこはまるで「台風の目」。意外に、穏やかで、陽が射しています。

しばしば、「あんなに大変なのに、よく平然とされているなぁ」と思うような人を見かけます。ふしのさなかにあって、「台風の目」の中におられるからです。傍から見ていて、「あの人はあんなに一生懸命なのに、する事なす事が裏目に出て、気の毒だ。〝神も仏もない〟と信仰から離れても仕方がない……」と、心配になります。

しかし、その人は、一時心を倒しても、信仰から離れるどころか、そのふしを通して、もうこの後どんなことがあっても揺るがないという、堅い信仰を築かれることもあるのです。ふしがあるから、信仰が本物になります。

いずれにしても、どん底まで落ちて這い上がって来た人は、腹が据わって迫力があるもの。

親神様にとって、ふしを与えるのが、人間を成長させる一番手っ取り早い方法かもしれません。

登り道と下り道

そんなとき、ある先生が、こんな話をしてくださいました。

「長い人生には、真面目に通っていても、する事為すことが裏目に出て、次々と苦しいことに出くわすことがある。だけど、心配無用。それは、運命の坂を登っているのだ。坂道を登るときは、息が切れ、膝がガクガクするほど辛いものだ。それでも、〝なにくそっ〟

〝なにくそっ〟と、力を振り絞り、一歩一歩前に踏み出していく。しばらくしてふと振り向くと、眼下には、息を呑むような素晴らしい景色が広がっているぞ！　気づかぬ間に、ずい分高い所まで登っていたのだ。

反対に、さしたる努力もしないのに、物事がそれなりに運んで行くのは、下り坂。下る時というのは、力を入れずとも、傾斜に身を委せていれば、独り足が動く。ちょうど、それまで積み上げた貯金を、取り崩しているようなものなんだ」

それを聞いて私は、「今は登り道なんだ！　だから辛いのも当たり前」と、ホッとしました。

考えてみれば、お正月の凧揚げでも、風を背にして走っても凧は揚がらず、風に向かって走ると、凧は風を受けてぐいぐい上昇し、大空に高々と舞い上がります。追い風より向かい風。

戦闘機が空母から離陸するとき、わざわざ正面から風を吹きつけるそうです。戦闘機はその逆風を浮揚力にして飛び立ちます。私たちも、順風より逆風で高く上昇します。

泥水が入ったコップに、きれいな水を注ぎます。始めは濁った水があふれます。清らかな水を注げば注いだだけ、濁り水があふれ出るのです。しかしここで止めれば、元の木阿弥。だから初志貫徹、ひたすら清水を注ぎ続けます。そして泥水が出尽くしたとき、コップの水は清らかに透き通っています。

ふしの最中、一生懸命頑張っても、現れて来るのは、辛いことばかり。でもそこで止めたら、それまでの努力が水の泡。ここが頑張りどころ、神様との根比べです。

そう言えば高校生時代、席替えがあり、机の上を見ると、「大事なるは転ばぬことにあらず。転んでも起き上がることにあり」と、彫られていました。私はその格言を見ながら一学期を過ごしました。「何度倒れても、その度立ち上がってやる！」、その言葉は今も私の胸に刻まれています。

雪道のトラック

学生時代、教会で神殿ふしんがありました。父は私に、「材木を飛騨高山に切り出しに行くが、お前も行くか」と言って、連れて行ってくれました。

山奥で大木を伐採し、大型トラックに積載します。雪が激しく舞う中、トラックは、細い山道をゆっくり下山。下を覗けば切り立った崖で、足が震えます。私は思わず、運転手さんに言いました。「雪でタイヤがスリップしたら、谷底に真っ逆様(さかさま)ですよ。しかもよりによって、荷台には重い材木が満載なのに……」。

しかし、運転手さんは、にっこり。「大丈夫。たくさん積荷があるから安全なのですよ。木材の重みで、車の足回りが安定して滑らないのです。逆に、荷台が空の時こそ要注意！　軽くなって、スリップしたり、ハンドルを切り損ね易いのです」。

「なるほど」と思いました。

人生も然り。私たちは、重い荷物を背負い、危険な細い道をヒィーヒィー言いながら歩く日もあります。荷物がぐいぐい肩に食い込んできて、押し潰されそう。「この先ずぅーっとこれが続くのか」と、音を上げそうです。

しかしそうした荷物は、ちょうど、雪道のトラックの材木のようなもの。私達が、しっかり大地に足をつけ、過ちなく歩むための「重し」。いわば、安全装置なのです。

もし、それがなければ、増長して天狗になり、よそ見をしてつまずいたり、滑って転んで大けがをするところ。浮かれて愚かなことをして、身を滅ぼしかねません。

親神様は、敢えて私たちに、宿題という「重り」を課し、守り導き、最高の人生を味わわせてくださいました。ありがたいことです。

31 苦しむべき旬

大鷲が、空を滑るように飛んでいきます。翼をいっぱいに広げ、自在に滑空。気持ちよさそう。

でも彼は不満。「空気の抵抗が邪魔だ。真空だったら、俺は、もっと自由に飛べるのに」。

ですが、言うまでもありません。空気のお陰で、滑翔できるのです。もし真空だったら、いくら羽根をばたつかせても、浮揚すらできません。

多くの人々がひしめく人間界。様々な思惑が入り乱れ、もつれ絡みます。みんな、雑用に追われ、時間や規則に縛られ、人とぶつかることも。いわば〝抵抗〟だらけ。

しかし、だから熱中するのです。

もしも、凪ぎの日が延々と続いては、退屈で閉口します。文豪ゲーテは、「天国に一人でいたら、これより大きな苦痛はあるまい」と言いました。

大鷲が空気抵抗を受け飛翔するように、私たちは、摩擦によって力をつけ、上昇、雄飛するのです。

怨恨

とは言っても、時には〝抵抗〟が束になり、塊となってのしかかり、押し潰されそうになることも。

こうなると、〝雄飛〟どころではありません。うろたえ怯えます。

そんな時よくあるのは、原因を誰かのせいにして怒りをぶつけること。

「あいつだ。俺をこんな目に遭わせたのは！」

しかし、怨嗟は心を蝕み、人生を狂わせます。相手以上に自分自身を損ねるのです。もし先方に非があるなら、親神様がいずれ公正を期されるはず。自分で手を下す必要はありません。復讐などもっての外。

教祖は、「なんぎするのもこゝろから　わがみうらみであるはどに」（みかぐらうた十下り目　七ツ）と仰せられました。〝そもそもお前の心が原因で難儀しているのだ。だから人の責任にしたり人を恨んだりする前に、まず自分自身をしっかり振り返ってみよ〟とおっしゃっているのです。起こってきたことの原因を他に転嫁せず、潔く責任を身に負うことから、根本的に物事は治まります。

ただ、〝わがみうらみ〟と言っても、自虐的になり自分を激しく批難するのに終始しては、問題です。自分は自分の秘密をすべて知っているので、刃を自分に向けようものなら、ダメージ深刻。自分が自分を許せないのは、何より辛く、人から責められる以上に、堪えます。あくまで、そこから建設的な次の一歩を踏み出すために、まず自分自身の姿勢を正すのです。

いずれにしても、人を恨んでいる限り解決しません。人を恨んで、陽気ぐらしは不可能です。

いろいろな自分

心に深手を負い、眠れぬ夜。神経が高ぶり研ぎ澄まされ、普通なら平気なことにも、過剰に反応します。臆病な自分、保身に走る自分、正しくありたいと願う自分が、入れ替わり立ち替わり現れ、頭の中を占拠。どれが本当の自分か、分からなくなります。妄念を振り払おうにも、どこまでも追いかけてきて、振り切れません。

ここに至って、「もう逃げ隠れしない。とことん苦しんでやる」と、腹を括ります。

「苦しい時に苦しいのは当たり前。この際、自分の情けない姿を、目に焼き付けてやろう」

そう、それは、親神様が用意された〝苦しむべき旬〟。だから、しっかり苦しむのがいいのです。

脆く壊れやすい人間。しかし危機に瀕すれば、底力を発揮するのも人間。想像以上に強靭で、しぶといのです。慢心するほど頑丈ではありませんが、絶望するほど非力ではありません。苦境に負けないだけの地力は、親神様から授かっています。

何度も壁に頭を打ちつけ、見栄や増慢などの不純物は剥がれ落ちます。自分の惨めな姿を胸に刻めば、自惚れふんぞり返ることはできません。愚劣な自分を知れば、人を軽々に批判できなくなります。自分も辛さを知るから、渦中にあって苦しむ人を見過ごせません。心底、親身になれるのです。

自分の弱さを知っていること、これが一番の強みとなります。

嵐の日には、大鷲も、翼をたたみ岩陰に身を潜めます。私たちも暴風雨が通り過ぎるまで、地面に這いつくばり、ひたすら耐えます。そうです。身を屈して力を蓄えるのです。蹲(うずくま)るのは、殻を突き破るため。苦悩が、次の跳躍のバネになるのです。

私自身、苦しいのは大嫌い。しかし、教祖にすれば、私を成長させる手っ取り早い方法は、窮地に放り込むことのようです。

救い

もがけばもがくほど、がんじがらめになり、渕(ふち)にずぶずぶ沈みます。

やがて力尽き、足掻(あが)くのを止めたその瞬間。体がふんわり軽くなり、すーっと持ち上がって、水面にぽっかり浮上。新鮮な空気が、胸に流れ込むではありませんか。教祖が手を取り、水上に引っ張り上げてくださったのです。

「もう自分を責めんでもええ。もう充分苦しんだやないか。こうして守っているから、硬直した全身の力を抜いて、安心してもたれてごらん」。教祖の神々しく柔和(にゅうわ)なお顔が、瞼(まぶた)

に浮かびます。

教祖に許していただくと、心が息を吹き返します。

死の床にある患者の問い

「死ぬとはどういうことですか?」

死の床にある病人が主治医に尋ねます。すると医師はきっぱり答えます。

「生命活動の終止です」

患者は、さらに質問。

「では私の一生って、何だったのでしょう?」

「あなたの一生とは、誕生、成長、老化、死とたどる、一連の生命プロセスです」

医師の答えはあくまで明解。

しかしこうした答えに、患者は満足できません。死を前にして彼は、「これまで必死に頑張ってきた私の人生はどうなる」「私はこの生涯で何をなしたのか」「すべてが無に帰すのか」「これから私と私の家族はどうなる」と、心の叫びを発しているのです。医学や科学は、こうした個々人の〝意味〟についての問いには、沈黙します。

自分を肯定

動物には、生きる目的や意味は不要です。その時、生きていれば、それで十分。

しかし人間は違います。生きていくには、意味や目的が必要なのです。意味を見出せないと、力が出ません。生きていることが、辛くなります。

一方、生きる大義を手にした人は強く、少々のことではへこたれません。

「この苦難は偶然ではない。教祖の意図があってのこと。教祖から託された、私にしかできない役割がある」。それを何としてでも見つけ出すのです。それがわかれば、自分の現在地がはっきりし、目指すべきゴールが見えてきます。自分の人生を丸ごと肯定できます。

ざっくりえぐられた傷口は、まだズキズキ疼くかも。しかし噴き出た血潮は瘡蓋になって、損傷箇所を守ります。その瘡蓋も、ポロリと取れる日が訪れます。教祖は、〝時〟にくるんで癒してくださるのです。

失意の中で手に入れた強さとやさしさが、生涯の宝物。傷痕は、試練を乗り越えた勲章です。

苦難の一章

十七世紀オランダの画家、レンブラント。「光の画家」と呼ばれます。ただし画面全体が明るいのではなく、むしろ大部分は暗がりです。暗黒に光が射し込み、主人公にスポット。闇が深い分、光彩がひときわ鮮やか。人物の屈折した性格や複雑な人生が、浮かび上がります。

人知れず悶々と悩む夜があって、昼間の笑顔が一層まぶしく輝きます。

英文学者ホイットマンは、「寒さにふるえた者ほど太陽の暖かさを感じる」と、詩の一節に詠みました。

昼間には気づかないロウソクの灯、それが闇夜では、炎の明るさに目を見張ります。

食べる米に事欠く日があって、お米のありがたさが身に染み、一杯の水のおいしさに心震えます。苦境にあって、降り注ぐ親神様の恵みを深々と味わいます。だから苦労した人ほど、感謝は大きいのです。

悩んだことが力になる、なんと力強い希望でしょう。

スイスの賢哲ヒルティは、「われわれが、悩める人に与えることができる正しい助力は、その人の重荷をとり去ってやることではない。それに耐え得るように、その人の最上のエネルギーを呼び出してやることである」と書き記しました。

幸せになるには、心という内面の力が不可欠。それは、順境より逆境で培われます。苦しい練習なしに優れた選手にならないように、辛苦なくして、一廉（ひとかど）の人物は生まれないのかも。信頼され慕われる人の生涯には、それぞれ苦難の一章があるようです。

ただしそれは、〝一章〟で、全編ではありません。「人生そのものが苦しい」というのではなく、「苦しい時もある」というにすぎないのですから。

人間の尊厳

海運会社の社長が乗った船が難破。彼は、命からがら、素っ裸で島に漂着します。しかし船も積荷もすべて喪失。普通なら、絶望するところ。

ところが彼は違います。「私は、全財産を身につけている。無一文にはなったが、まだ自分自身という最大の財宝を失っていない」と、前を向きます。

ナチスの強制収容所に入れられ、両親をそこでなくした心理学者フランクルは、言います。

「あらゆるものを奪われた人間に残されたたった一つのもの、それは与えられた運命に対して自分の態度を選ぶ自由、自分のあり方を決める自由である」

一旦起こったことは、消せません。それと共に生きるしかありません。要は、それとどう向き合うか。

自分を見限れば、そこで終わり。ですが、自分で自分を見捨てねば、道は未来に向かって伸び広がります。

辛酸を舐め、地獄も見た老人が、きれいな笑顔でつぶやきます。「ああ、何て素晴らしい世界だろう……」

ひながたの無窮の明るさ

教祖は、相次ぐふしにあっても、弾むように軽やかです。

「貧に落ち切れ」と徹底した施しをされながら、「水でも落ち切れば上がるようなものである」と、その向こうにある楽しみを謳われます。

極貧にあって母屋を毀つ日には、「世界のふしんにかかる。祝うてくだされ」と喜ばれます。

さらに新聞で叩かれても、「さあ海越え山越え〳〵、あっちもこっちも天理王命、響き渡るで響き渡るで」と、頼もしく言明。

官憲の非道な扱いにも、「この所、とめに来るのは、埋りた宝を掘りに来るのや」と、警察や監獄にいそいそと出かけられるのです。

そして獄舎にあって、「ふしから芽が吹く」と、気炎万丈。

こんなに心強い、生き方のお手本は、他にありません。

32 心は晴天なり

車でカナディアン・ロッキーを走破したことがあります。途中どちらを向いても絶景で、山、森、川、湖が織りなす大自然の美しさに、感動の連続です。

ところが、ふと目を凝らすと、「立入禁止」「石・植物の採取禁止」など、自然保護を呼びかける看板があちこちに。「ああ、自然はもはや、人間が保護するものなのか……」と、さびしくなりました。

しかし、そんな感傷はすぐに吹き消されます。日本に戻ると、大災害のニュースが流れていたのです。

人間は、荒ぶる自然の前では、まったく非力だと思い知ります。暴風雨、土砂崩れ、地震、津波に、私たちはひとたまりもありません。普段は穏やかで、生命を生み育む自然が、コホンと咳をするだけで、人間の暮らしは吹っ飛ぶのです。

きっと自然は、自然それ自身の法則に従っているだけで、悪意はありません。罹災し、大切な人を失い、暮らしを奪われた方のことを思うと、張り裂けるような胸の痛みを覚えます。そんな時、「神意を悟れ」と言われても、おそらく無理。とにかく生きることが先決です。

しかし人間は、回復力旺盛な生き物です。ある時ペシャンコに落ち込んでも、また気力を取り戻します。それだけの心の筋肉はあります。

壮大な天の仕組み

今この瞬間、近くの山でどんな花が咲き、どんな虫が生息するのか、私は知りません。大気圏の様子も、地下のマグマの活動も、体内の細胞の動きも知りません。

一方親神様は、ミクロの世界から、広大無辺の宇宙の、それも何億年もの時の流れを洞見されているのです。私たちには非情に映る個々の事象の背後には、想像を絶する壮大な天の仕組みがあり、知らないところでちゃんとつながり、驚くべき調和が図られます。

天理は、法律のように冷徹ではありません。一人ひとりの命に、あふれるような愛情が注がれています。ある時暴れた自然も、やがて平穏を取り戻し、再び私たちを守ります。ただ私たちの思わくと、親神様のお考えとは、次元が違うようです。

身上

九年前私は、「肝臓がんだ」と宣告されました。

「えっ、なぜ自分が？　お酒も飲まないのに」。まるで、列車に乗っていたら突然、「終点です。降りてください」と通告されたかのよう。

それまでは、出直しなど他人事だったのが、急に切実な問題に。

深夜、病室の天井を眺めながら、あれこれ考えます。「死んだら、どうなる…？」私は怖くてなりませんでした。噴出する不安が、心を食いつくし、私を弱くもろくします。

誰しも死に対する恐怖はあるもの。未経験で未知だからです。しかし死への恐れは、最大の自殺抑止力。死ぬのが怖くなければ、もっと多くの人が自死を選ぶでしょう。これもまた、私たちが命を粗末にしないための、親神様のお計らいでしょうか。

それでも、自ら命を絶つ人がいます。ところが命を絶つ以上に、死を待つのは難しいのです。ガンの宣告は、死を待つ辛さを味わいます。

私はもっと生きて、もっと楽しみたくてなりませんでした。死にたくありませんでした。出直しを考えると、生への愛おしさが一層募ります。

かしもの・かりもの

私は、自分で決めて誕生したのではありません。自分の力で生まれたのでもありません。気づいた時には、既にこの世に存在していました。

また、出直すにしてもそうです。自分で心臓を止める訳ではありません。「死にたくない」と泣こうが喚こうが、時が来れば、ノー・チョイス。しかも、いつ死ぬのか分かりません。十年後なのか、今日交通事故で死ぬのか、知る由もありません。私にとって、自分の始まりと終わり、誕生と死。私の人生にとって、最重要事項です。それが、自分ではどうすることもできません。

生まれるのも、出直すのも、すべて親神様のお働き。改めて、「かしもの・かりもの」

の教えが、身に沁みます。

「親神様には、親神様のご都合がある。もう、親神様のせいにしない」と、言い聞かせます。

遠くの山を自分の手許へ持って来ることはできずとも、自分が山に向かって歩み出せば、山は近づきます。天理を私に合うように変えられないなら、私が天理に合わせるしかありません。

「もともと〝私の命〟も、親神様のものなのだ。親神様がご自分のものをどうなされようと、親神様の勝手ではないか。私が文句を言う筋合いではない」「心配してもしなくても、誰しも出直す日は来る。なら、心配するだけ無駄」と、覚悟を決めます。

でもやっぱり、数分すればまたぞろ心配しています。「親神様、たすけてください」と、哀れに縋っています。ああ、矛盾だらけの情けない私……。悲観したり達観したり、また塞ぎ込んだり——心は、無節操にコロコロと変転します。

それでも親神様の御名を唱えればいつも、心は遠く大いなるものへと向けられて、苦しみが和らぐのです。

生まれる前と出直した後

考えれば、私は生まれる前、何億年も存在していません。ということは、〝自分がこの世にいない状態〟も経験済み。ある時、自分の意志に関係なく、この世に誕生したのです。「うまく誕生できるだろうか」と、悩んだ覚えはありません。心配しなくてもちゃんと生まれて来ました。だったら出直す時も、心配せずとも、親神様がちゃんと出直させてくださるはず。出直しと言っても、生まれる前の、元の状態に戻るだけの話。そう考えると、ホッとします。

テレビを観ますと、綾小路きみまろという人が、「みなさん、この中で、百年後も生きているのは、誰もいません。みんな死んでいるのです！」と言って、笑いを誘っていました。私も笑いながら、ドキッとしました。「出直すのは私だけでなく、今は若くて健康なアイツも、いずれ出直す」、そう思うと気が楽になりました。元気な人を見ても妬(ねた)ましく思わなくなりました。でも、人の出直す姿を想像して自分を慰めるなんて、私って、なんて嫌なヤツ……。

春夏秋冬

草花が芽を出し成長する春があれば、いきいきと輝く夏もあります。果実を実らせ紅葉で彩る秋もあれば、雪の重みに耐え、来る春に備える冬もあります。自然界に四季があるように、人の一生にも四季があります。誕生、成長、老い、出直しという命の春夏秋冬。生き物にとって生と死は、等しく天然自然の営み。「出直しは、忌まわしいものでなく、自然なこと」、そう思うと、心は落ち着きます。

「たとえ自分がどんなに悲惨な状態でも、生きているということは、親神様が、〝まだ生きていよ〟と仰せになっている証拠だ」と、自分に喝(かつ)を入れました。

人間にとって、最後まで困難に耐えさせるのは、信仰です。

もたれていれば、危なげはない

「後ろで支えるからもたれてごらん」と言われ、もたれようとします。しかし、ある一線を越えると、不安になって、つい足を出し自分で支えようとします。ところが身上になると、自力を頼ろうにも、自力は無効状態。

教祖は、〝もたれていれば危なげはない〟と仰せ。「教祖が、もたれたら大丈夫と、保証してくださった！ なら、ジタバタせず、親神様と教祖にお任せしよう！」。そのまま大の字になり、全身の力を抜きました。いくら力んでも、親神様が守ってくださらねば、無力です。

信仰は、不安で満タンになった頭と心を、空っぽにしてくれます。心配するのを止めた強さ、それが信仰者の強さです。

術後

七時間を超える手術でした。しかし辛かったのは術後三日間くらいで、その後も管につながれましたが、看護師さんの細やかな世話取りもあり、さほど苦しく思いませんでした。と言うより、「ありがたいなぁ」との言葉が口をつきます。

振り返れば、苦しいこともありましたが、楽しかったことも山ほどあります。時を忘れ夢中になったこと、うれしくて小躍りしたこと、全身が火照(ほて)るほど充実したことが、蘇ります。仲間と腹を抱えて笑ったこと、人の真心に感激したこともいっぱい。人に恵まれ、素晴らしい出会いもたくさんありました。「いい人生だったぞ」と、ありがたくて、涙が出てきます。

手術を挟んで、大勢の方がおさづけを取り次いでくださいました。ありがたくて、ありがたくて、言葉になりません。これほど多くの人に祈ってもらったことは初めてです。目を閉じると、教祖が微笑んでおられます。患部を撫(な)でる手に、教祖の手を感じます。患部に手が触れるたび、細胞がプチプチプチと甦(よみがえ)り、お腹の中がきれいになっていきます。いい気持ちで涙が止まりません。生きているありがたさを、こんなにしみじみと味わったのは、元気な頃にはなかったことです。

その時気づいたことがあります。それまで、入院中の人を訪ねるのに、ためらいがありました。「気を遣わせてしまう。そっとしておいてあげた方が親切だ」などと、人間思案が働きました。

しかし、いざ自分が入院し、人におさづけを取り次いでもらうと、迷惑どころではありません。文句なく、うれしく、ありがたいものでした。「おさづけがこんなに気持ち好いものなら、これからは自信をもって、どんどん身上の人におさづけを取り次ごう。遠慮は無用！」、そう思うようになりました。

冷たい親神様と、温かい親神様

ふしに遭遇すればうろたえ、「親神様、ひど過ぎます」と恨みます。

しかし親神様は、厳しいふしを見せられても、私たちを見捨てられません。ところが、私たちの方が、親神様を見限ってしまうのです。「信仰しても、何にもならない」と、見切りをつけてしまうのです。

散々のたうち回ったあげく、最後に親神様におもたれする心になった時、忽然と新たな道が現れます。胸に光が差し込みます。

ここに至って、「親神様はなんて温かい……」と、無性にありがたくなるのです。初めは、「冷酷だ」と感じた親神様が、限りなく温かく感じます。

教祖の教えのすごさ

それにしても、天理の教えの凄さに目を見張ります。

天地に満ちる親神様のご守護、人間の起源と存在目的、幸せになる生き方――。世界と生命と人間について、これほど深い教えはありません。要諦(ようてい)をピシッと示し、しかもやさしい言葉で説かれます。

天然自然の摂理に身を委ね、天の恵みを身に感じ喜び暮らす日々。心は晴天なり。「お道の信仰者でよかった」と、つくづく思います。

第6章

祈り

33 神話の世界へようこそ

ギリシャ神話に、ゼウスという偉い神様がいます。

玉座は、父から奪ったもの。父は地位を追われるのを怖れ、息子たちをゴクンと飲み込んでいました。ゼウスは、父をだまし、嘔吐(おうと)剤を飲ませます（神様の国に嘔吐剤？）。そして兄弟を吐き出させたゼウスは、彼らや叔父の協力を得て、父を撃退、末弟ながらトップの座についたのです。

けれども祖母はこれを快く思わず、刺客を差し向けたというから、彼女もすごい。しかしゼウスは、これを退け、盤石の治世を築きます（神様に家族や親戚があり、身内同士の争いがあるなんて驚きだ）。

ところでそのゼウス、凄まじいのは女性関係。

結婚と離婚（神様も離婚する）を繰り返し、三度目に定まった正妻は、お姉さん（これって近親相姦？）。しかも、この美人妻があるのにゼウスときたら、妻に隠れ、牛や白鳥や鷲、黄金の雨や黒い雲に身を変えて、幾多の女神たちと逢瀬を重ねます（変身は得意みたい）。こうした不品行で生まれた子どもは、数知れず（精力絶倫だ）。で、妻は嫉妬に狂い、浮気相手やその子らに、むごい運命を課します。彼女は美しいのに、執念深く、残忍。ところがゼウスときたら最高神のくせに、ひどい恐妻家（奥さんに頭が上がらないところは、ちょっと可愛い）。この妻は、婚姻の神なのに、自分の結婚生活には手を焼きます。

他の神々も、みんな個性派揃い。大鷲に肝臓を食べられた神（神様にも肝臓？）、情事の現場を押さえられる神（まぬけだ）、戦いの神なのに度々敗北する神も（情けない……）。

北欧の神々

こんな神々の愛憎劇は、ギリシャ神話に限りません。

とりわけ暴力的なのは、北欧の神々。最高神は、血生臭い戦争を好み、国と国を闘いに仕向けます。

また、すぐカッとなり手が出る神、気まぐれで嘘つきではた迷惑な神もいます（嘘つきの神って……）。何度殺されても生き返って酒宴を続ける神々や、宴席で他の神の醜聞を吹聴する神も。しかもある一族など、戦いに破れ、全員死んでしまうのです（へぇ、神様も死ぬんだ……）。

そして、出てくる小道具がまた、気が利いています。いくら食べても減らないシチュー、目を閉じ投げても的に当たり自動的に手元に戻ってくるハンマー。杯が大海とつながっていてどれほど飲んでもなくならない酒、本性が大地に巻きつく大蛇なので持ち上がらない猫、ひとりで戦う剣、俊足の野猪（いのしし）。相撲を取ったらどんな力持ちも押し倒すよぼよぼの老人も登場します。さながら、ドラえもんの四次元ポケット。

いずれにしても、世界全域、人のいるところ神々も住んでいて、奇想天外なドラマを繰り広げます。想像力豊かな民族には、個性豊かな神様が大勢おられるようです。

日本の神々

日本の神々も、奔放さとユニークさでは負けません。

約束を違えた夫の命を狙う妻の神、岩戸に隠れた女神をおびき出そうと狂喜乱舞する神々、八つの頭のオロチに酒を飲ませて退治する英雄神、ワニに皮を剥がれた白ウサギを騙し激痛を与える神とそれを救う神。

官能的な恋物語も盛りだくさん。男神は数々の女神と和合し、子種を撒き散らします。多産は、豊作や大漁と同様、恵みの象徴で善きことだったのです。ですので、日本の神々の性愛は、野放図（のほうず）であっても陰湿さはありません。とてもおおらか。

とにかく、夥（おびただ）しい神々が次々と産み出され、私など名前も覚えられません。まさに八百万（やおよろず）の神々と言われる所以（ゆえん）。日本だけでこれですから、全世界にはいったいどれだけ神様がおられることやら。

手に負えない神々

神話には、「王子様とお姫様が結ばれ、末永く幸せに暮らしましたとさ。めでたし、めでたし」、という円満な帰結はまれ。非情な結末や、もやもやが残る幕切れが多いのです。

神々は、倫理道徳に縛られず、欲望に素直（取り締まる法律もなく、誰が神様を取り締まるのかという問題もある）。ですので、権力闘争、骨肉相食む戦い、虐殺、誘拐、裏切り、姦淫、盗みなど、悪行数知れず（おいおい、それが神様のすることか）。その上、神々は人間にはない魔力を持つので、なおさら始末が悪い（でも面白い）。

そのスケールと過激さは、今日ワイドショーを賑わすスキャンダルの比ではありません。人間界のドロドロした事件の原型は、太古の昔に神々がしでかしていたことにあり。はたして昔の人は、こうした荒唐無稽な物語を、史実として受け入れたのでしょうか。

人間の深層心理が投影？

私は青年期、神話に興味を覚え一生懸命調べました。「何を説くのか、私の今後に生かせる処世訓を引き出せないか」と、神話に深遠な哲理や人生の指針を求めたのです。ところが期待は、あっさり裏切られました。同時に、神々の残酷物語や痴話喧嘩にぎょっとしました。人間の心の奥底を覗き込むような不気味さを覚えたのです。

英国の哲学者バートランド・ラッセルは次のように言います。

「人間は、神々が人間と同じような姿で生まれたと考え、自分たちと同じような衣服や声をもつと思っている。もし、牛や馬が絵を画くことができれば、馬は神々を馬のように画くだろうし、牛は牛のように画くであろう」

神話では、人間の征服欲や凶暴性、怨念や情欲など普段隠している暗い部分が、神様の振る舞いとなって赤裸々に語られます。聖性も獣性も備えた人間の素の姿を、神様が代わって演じているかのよう。

無数の人たちによる伝誦なので、脱線したり、矛盾しているところも多々あります。しかし、時代を越えて語り継がれたというのは、心の琴線に触れる何かがあった証拠。でなければ、とっくに消滅したはず。謎めいているのも魅力です。

もしかすれば漫画や映画のない時代、神話には娯楽ファンタジーという側面があったかも。家族で楽しめる冒険譚や恋愛物語。現代で言えばさしずめ、スターウォーズやハリーポッターなどのＳＦスペクタクル。とにかく人間は、物語が大好き。物語は、人を癒す力があるようです。

人間の願望や恐怖を取り出し、その地方の土鍋にかけ土俗の味付けをして、歳月をかけぐつぐつ煮込んだ民俗料理、それが神話なのかもしれません。

民族を束ねる装置

人類は、自然の諸力を擬人化して理解し、民族史を物語にして記憶してきたようです。若者は、古老が話す神話に聞き入り、国の成り立ちや民族の歴史を心に刻みます。独自の伝統文化や儀式を、神話を通して学びます。神話を共有することで、人々は宇宙観や死生観を共有したのです。神話は、同族意識を育む母胎です。

ところが、本来素朴な神話に、政治が介入すると面倒。

明治時代、当局は、「古事記や日本書紀にない神名をとなえるのは、不都合だ」「天理王命という神はいない」「神を拝むなら、○○の神を拝め」と、執拗に干渉しました。国是(こくぜ)とした宗教以外の神名を説くのは、国の権威を弱め、結束を乱し、統治を妨げると考えたのです。国によるお道への理不尽な圧力は、終戦まで断続的に続きました。

しかし、神によって造られた人間が、「この神はよくて、あの神はだめだ」と、権力で神様を禁じたり強要するのは、傲慢の極みです。

元初まりの話

念のために申しますが、教祖が語られた「元初まりの話」は、世の神話とまったく異なります。戦い好きな神様も、好色な神様も、邪悪な神様も出てきません。娯楽目的でもなければ、特定の民族の話でもありません。

「元の理」は、人間の本質を説かれた普遍的な真理です。「自分はいったい何者で、なぜ生きているのか?」、この問いを突き詰めると、元の理に行き着きます。「陽気ぐらしをさせるため人間を創った」と、生きることを正面から肯定し、前途に希望を掲げてくださったのです。

また、親神様を描いた絵画や、模した像はありません。その代わり、人間創造と天理を象った「かんろだい」が、礼拝の目標です。

他の神話とは、次元が違います。

教祖

目を閉じ、百数十年前にタイムトリップしてみましょう。

教祖が、集まった人たちに、元初まりのお話を、優しくお話しされています。教祖のひと言ひと言が、信者の胸に深く染み込み、世塵を洗い落とし、本来の明るさを蘇らせます。

人々は目を輝かせ、元の理の世界にどんどん引き込まれています。

そんな教祖と信者の、ほのぼのとした美しい光景が目に浮かびます。

34 何が正しい？

「人間は一人では生きられない」、ある本はきっぱり宣言。

確かに、「誰の世話にもならない」と豪語する人だって、自分の知らないところで無数の人たちのお世話になっています。誰かが丹精したお米を食べ、誰かが作った服を着て、誰かが操縦する飛行機に乗ります。ある時は、人の労働を享受する側で、ある時は、自分が労働を提供する側。いわば経済活動そのものが、お金を介してのたすけ合いです。「一人では生きていけない」、なるほど、納得です。

ところが別の本は、「人間は一人で生きるべし」と、力説します！　前の命題と、真っ向から対立。

心の自由を与えられた私たち。一人で生まれ、一人で出直します。親といえども子供の人生を替われないし、替わってもらうこともできません。転んで痛いのは、転んだ本人。

法を犯して罪を負うのは、犯した当人。働かねば収入が途絶え、困るのは自分。人を頼らずあてにせず独立独歩、一人で生きるべし。説得力があります。

ではいったい、「一人で生きられない」のか、「一人で生きるべき」なのか。どちらも正しい気がしますが——。

時代とともに変わる

それまで正しいとされたことが、時を経て覆（くつがえ）ることがあります。

江戸時代、仇討（あだう）ちは美談。ところが現代では、私闘は犯罪です。

徳川幕府は不況の時、質素倹約を督励（とくれい）しました。現代では逆に、消費を奨励し経済活性を図ります。

かつて、「食事中にしゃべるな」と注意されました。今は、「食事で会話が弾むのは仲の良い家庭」と褒められます。

子供の頃、「食べてすぐ寝転ぶと、牛になる」と脅されました。ところが近年、「食後は横になれば、消化器官の血流が促進」と、横になることを勧めます。でも最近、「横になるより歩く方が、血糖値の急上昇を抑えて体によい」とも聞きます。今後また反転するかも。

スポーツの常識も変わります。学生時代、野球部員は、「水を飲むと体力が消耗する」と教わりました。夏など、練習そのものより水を飲めないのが辛かったのです。しかし現在は、「水分補給を怠るな」に。喉の渇きを、歯を食いしばって我慢したのは、何だった？

慣習や生活の知恵も変遷します。

「突き指をしたら、その指をひっぱれ（逆効果です）」

「水に潜る時は、耳にツバをつけろ。耳に水が入らない（入りますってば）」

「風邪は人に移すと早く治る（風邪なのに出勤し、同僚に感染させる？　犯罪行為だ）」

「バカは風邪をひかない（よかった。私はよく風邪をひく）」

「くしゃみが出るのは、誰かが噂をしているから（花粉症の人って、噂の人？）」

「歯が抜けたら、上の歯は屋根に、下の歯は縁の下に投げろ（マンションの住人はどうする？）」

「ミョウガを食べると物忘れをする（そうか、私の物忘れはミョウガが好きなせいだ）」

「ワカメを食べると毛髪が伸びる（そう信じ、無理して食べていたおじさんがいた）」
「ミミズに小便をかけると、○○○が腫れる（腫れたら痛いぞ）」
「こむら返りを治すには、乳首を思いっきりつまむと良い（こむら返りが治っても、乳首が腫れあがる）」

過去のしきたりを現代の私たちが嗤う（わら）ように、今の決まり事を、未来の人は嗤うかも。でも〝正しいこと〟がコロコロ変わっては困ります。誰の言う事を信じればいいのやら。

因果関係

王様が、目隠しをした学者たちに告げます。「手で触って、ゾウとは何か、報告せよ」。

ある博士は、ゾウの尻尾を摑み（つか）、「ゾウとは、ひもです」と進言。別の研究者は、鼻を触って、「ゾウとは、太いホースです」。またある学識者は足に手をまわし、「ゾウとは、どっしり頑丈な柱だ」と断定しました。

それを聞いた王様は、「ゾウとはひもか、ホースか、柱か」と困惑。誰も、ゾウの全貌を見た者はいません。一部分に触れ、それを拡大解釈し、全体像を憶断（おくだん）しているだけ。

私たちはよく、自分の限られた経験から、一足飛びに普遍的な結論を導きます。「あの後に生じたから、あれが原因だ」、と公理にすることも。「日蝕（にっしょく）の後、戦争が起きた。日蝕が戦争の原因だ」というように。

英国のオックスフォード大学にこんなジョークがあるそうです。

教授が、ウィスキーをソーダで割って飲んだら、酔った。翌日、ブランディをソーダで割って飲むと、やっぱり酔った。翌々日、ジンをソーダで割っても酔った。彼は、「一大化学法則を発見した」と喜びの声をあげる。「これは間違いない。ソーダが酔わせるのだ」と。

言うまでもありません。ウィスキーとブランディとジンのアルコール分が酔わせたのであり、ソーダのせいではありません。ああ偉い先生も、勘違いする——。

逆の言い分

真逆（まぎゃく）を教える格言があります。

「三度目の正直」か「二度あることは三度ある」のか、「七転び八起き」か、はたまた「七転八倒（しちてんばっとう）」か。

例えば、「神は細部に宿る」との箴言。緻密さは、神の御業の真骨頂。仕事は、細かな点まで完璧を期してこそ、価値あるものとなります。

ところが西洋では、「悪魔は細部に潜む」とも。悪魔は私たちに、枝葉末節に目を向けさせ、本来の目的を見失わせるというのです。では、細部に宿るのは、神か悪魔か。細かく見るべきか、大局を見るべきか。

数学なら、1足す1は2、と証明できます。答えの欄に、1や3と書けば、バツ。ところが人生訓や信条となると、見解が分かれることもしばしば。

「精神一到何事か成らざらん。精神のあり方が成否を決する。何事も精神次第」
「精神論でごまかすな。合理的に分析しろ」

「善は急げ。ぐずぐずすれば、好機を逸する」
「急いては事を仕損じる。急ぐ時こそ慎重に。急がばまわれ」

「子供は、叱るべき時はきちんと叱れ。その子の将来のため」

「叱るより、褒めて育てよ。子供の意思を尊重し、個性を伸ばせ」

「狡猾たれ。正直者はバカを見る」

「信義を守れ。信頼構築が大切」

「沈黙は金。口は災い。ぺらぺらしゃべるのは軽佻浮薄」

「黙ってないではっきり主張せよ。能弁は才」

「討論は真実を明らかにする」

「人は論じ過ぎて真実を見失う」

「規律に厳格たれ。例外を許せば、なし崩しになる」

「杓子定規になるな。柔軟に対処せよ」

「朝に命じたことを、夕にはもう覆されたらたまらん。朝令暮改は、部下のやる気を削（そ）ぐ」

「君子は豹変（ひょうへん）す。上に立つ者は情勢が変わったら、躊躇（ちゅうちょ）せず前言を翻（ひるがえ）せ。それが輩下（はいか）を救うことになる」

「上下関係を崩すな。組織が乱れる」

「上下なく話せる環境が、自由な発想を生み、組織を発展させる」

「人の忠告を聞け」

「人の言葉に惑わされるな」

「非情に徹しろ」

「情けが肝心」

何が正しい？

「人と群れるな。しがらみを断ち切れ」

「孤立するな。人との絆が大事だ」


「長いものには巻かれろ。権力には忠誠を」

「権威に屈するな。反骨で立ち向かえ」


「人の本性は善（孟子）」

「人の本性は悪（荀子）」


「技術の習得は、人の仕事を真似ることから始まる」

「人の真似はダメだ。拙劣(せつれつ)でもオリジナルで勝負せよ」


「何事も辛抱が大事だ。忍耐なくして何事も成らない」

「ガマンせず自分の気持ちに正直に生きよ。我慢というのは、自己欺瞞」

「三つ子の魂百まで。人間はそう変わらない」

「歳月は人間を別人にする」


「自分を見つめよ。人生が深くなる」

「自分を見つめ過ぎるな。行動力が鈍(にぶ)る」


「人生は無意味」

「一瞬一瞬に意味がある」


古代ギリシャのプロタゴラスは、「どんなことについても、ある見方があると同時に、逆の見方もある」と言いました。

一方の言い分を聞くと、「もっともだ」と思います。でも、他方の意見を聞くと、「それもそうだ」と、揺れ動きます。そして、どちらを取るかで、まったく違った人生に。

絶対的な正しさ

「人間が不完全な存在であるかぎり、様々な意見があることは有益である」と、近世英国の哲学者ミルは言います。

特に現代。排他的な価値観や宗教観に起因する、争いやテロが絶えません。彼我（ひが）の違いを認め、多様な価値を認める寛容さが、是非とも望まれます。

ところが、〝正しさ〟が林立すれば、各々は、「たくさんあるもののうちの一つ」となり、〝相対的〟になります。しかし、自分が岐路に立ち選択を迫られる時、「これが絶対」という正解が欲しいのです。ある医師は手術を勧め、別の医師は薬物療法を推奨（すいしょう）。「ほほぉ、どちらも一理ありますな」などと、呑気（のんき）に構えておれません。

〝定点〟がないと、迷走します。

私の場合、それは教祖。「教祖が仰せなら、絶対正しい」」、そう信じて生きてきました。いくら考えても分からない先の事、自分の力の及ばぬ事々は、教祖にお任せします。先案じしてもがいても苦しいだけ。人事を尽くし、後は教祖におすがりする。それが、迷ったり、落ち込んだ時の、私の決め球。事実、教祖におもたれすれば、いつもちゃんとお連れ通りいただきました。「教祖にもたれれば大丈夫」、そう思えるのが強みです。

「教祖ご存命」を、科学的に論証することは、私にはできません。でも教祖を想うと、心の痼(しこり)が溶け出し、ほのぼのとした安心感に包まれます。それが、教祖が働かれた証拠。

不確実な人の世を渡る、私の〝絶対〟です。

35 心の中の小さな神殿

「おーい、みんな。神様がいるなんて、信じちゃだめだよ」

少年が、叫んでいます。

「ぼくは神様に、〝お父さんの病気を治してください〟って、何度もお祈りしたよ。でも、お父さんは死んじゃった。神様なんて、いなかったんだ」

涙をぼろぼろ流して訴えます。

そんな少年ですが、夜はいつも、寝床の中でお母さんに神様の話をしてもらいます。神様の話を聞くと、不思議に心落ち着き、スヤスヤ眠れるからです。

実はお母さんも、夫を亡くした悲しみと闘っていたのです。「この子を守らねば」と、挫(くじ)けそうな心を奮い立たせ、神様の話を心を込めて語り、そのことで自身もまた支えられていました。その母子にとって、就寝前のそのひとときは、神聖な祈りの時間だったのです。

やがて少年は、お母さん思いの心優しい青年に成長しました。

鰯(いわし)

鰯の群れが、水中を泳いでいます。鰯の大群が一斉に身を翻すと、海上から射し込む陽光が鱗(うろこ)にキラキラ反射して、まるで万華鏡のよう。

若い鰯が、老鰯に尋ねます。

「ぼく達は海に暮らし、その恩恵で生きていると聞きます。でも、海と聞いても、ピンとこないんです」

年寄りは語ります。

「そうさなぁ。正直なところ、わしもよく分からないんだ。海以外の場所も知らないし、その恵みなしに暮らしたこともないからなぁ」

そこに、威勢のいい鰯が割って入ります。

「海なんてないぜ、爺さん。だいたい、あんたは海を見たことがあるのか。少なくとも、俺は見たことがない。あんたの頭の中ででっちあげた幻影さ」

「でもな、若い衆。お前さんの言う通り、わしは海の姿も形も見たことはないが、海の懐に抱かれているとしか思えんのじゃよ。それに、そう思うと、とてもありがたくて、幸福な気持ちになるんだ」

雨天の日

あるアメリカ映画での一場面。ホームレスがぼそっとつぶやきます。

「神様は、ある時は目の前で、ニコニコと微笑んでおられるのに、ある時にはすっかり姿を隠して、呼んでも応えて下さらない……」

彼の気持ちは分かる気がします。私も、遠くから親神様を憧れている間は、親神様の輪郭をくっきり描けます。ところが、思いがけない出来事に遭遇すると、途端に親神様を見失うことがあるのです。「親神様は何をお考えだ?」「本当に親神様はおられるのか」とあたふた。手を伸ばし救いを求めても、その手は空を切るばかり。「親神様はどこだ」と見回しても、気配すら感じません。

神様って、まるで雲を摑むみたい? 確かに、白い雲を地上から眺めるうちは、雲の形ははっきり分かるのに、もっと知ろうと雲の中に入って行くと、視界は濃霧に覆われ、何が雲か分からなくなります。

太陽は、曇天や雨天には姿を消します。しかしなくなったわけではありません。飛行機で雲上に出ると、お日様はいつも通り燦然と輝いています。雨雲が太陽を隠すように、恐怖や焦りが視野を遮り、親神様を見えなくするのかもしれません。

願掛け

ラグビーの選手が神社に参詣。神様に「どうぞ、次の試合に勝たせてください」と、必勝祈願をしました。ところが対戦相手もまた、同じ神社の同じ神様に、勝利をお願いしています。

双方から依頼された神様は、どちらを勝たせようかと、困惑。いくら神様でも、同時に両チームを勝たせることは、ちょっと難しい――。

そして翌日。試合に勝ったチームの面々は、「この神社にお参りしてよかった。やっぱり神様はおられる」と、大満足。

片や敗北チーム。「この神様はダメだ。次回は別の神様にしよう」と相談。ある者など、「神様を拝んでも効果がない」と、毒づきます。

でも、〝効き目〟だけを天秤にかけ、神様を評価し、神様を選ぶのも、どうかと思うのですが――。

「あいつにバチを当ててください」「稼業である泥棒の仕事が、今夜成功しますように」

「妻に浮気がばれませんように」。もし、こんな願いが、あれもこれも成就すれば、社会は大混乱。私たちの自分勝手な願い、つまり〝無理な願い〟が叶わないから、世の中は秩序を保ち、私たちは安心して日々の暮らしを営みます。

「神様とはこんなお方」と自分勝手に神様像を祭り上げ、御利益を期待。あげくに当てがはずれ、「神様はいない」と結論。

篤信家(とくしん)ヒルティは言います。

「神がわれわれを捨て給うのでなくて、われわれが、まず神を見捨てるのだ」と。

私自身を振り返れば、〝私の思い通り〟ではなく、〝私が思いもしない形で〟お導きお救いくださる親神様は、いつも傍におられました。痛みを与えてまでも、私を守り、私の行く末を考えてくださる親神様です。

無神論者

どんな民族にも、お酒と音楽と宗教はあるそうです。

親神様は予め(あらかじ)人間に、神秘的な動きを察知する、宗教的な感性を組み込まれたのでしょう。感度の差こそあれ、誰もが、親神様のお働きを感知するアンテナを持っています。そのことを積極的に認める人と、気づかなかったり無視したり、敵対視する人がいるだけ。

確かに親神様の存在を、科学的な手法で検証できないかもしれません。しかし同様に、親神様がおられないことも、実証できません。つまり、無神論者というのは、「神はいない」と信じている人。無神論という信仰告白なのです。

哲学者カントは明言します。

「神の存在を確信することは絶対に必要だが、必ずしも証明しなければならないわけではない」

何はともあれ、親神様を心に迎え入れると、人に対して温かい気持ちになり、人生が愛しくなります。

小さな神殿

「えっ！　どうしてこんなことが……」、突然災厄に見舞われ、絶句することが。動揺して足許を見ると、そこにあると思っていた地面が消失し、自分が闇で宙ぶらりんになっていて、ギョッとします。

そんな時、普段は無信仰を標榜する人でさえ、天を仰ぎ、心情をぶつけ、許しを乞い、たすけを希求することも。その瞬間その人はそれと気づかず、親神様に祈っています。「神などいない」と懸命に否定するのは、親神様を薄々、あるいは疼くほど感じながら、打ち消そうともがいている状態。親神様に向かって悪態をついているのです。既に、濃厚な信仰の真っ只中。

「なぜ私がこんな目に？」と疑問を発する時、実は親神様が、「お前はなぜこんな目に遭うと思うのか」と、問われているのです。私の場合、最も弱いところ、恥ずかしくて人に知られたくないデリケートな境域で、親神様や教祖とつながってきました。

「自分は宗教とは縁がない」と思っている人でさえ、心の奥底には静謐な小部屋があって、疲れたり、傷ついたり、途方に暮れる時にはその小部屋に降りて行き、自分を見つめ、天意を模索。親神様の声を聴く、その人だけの小さな神殿です。そこで人は、浄化され、癒やされます。やがて砕け散った心の破片がつながり始め、脈動を始め、蘇生。このとき、静かに感謝が込み上げます。

十九世紀英国の画家、ロセッティはこんな言葉を残しています。

「無神論者にとって最悪の瞬間は、心から〝ありがとう〟と言いたい時に、それを言う相手が誰もいない時である」と。

いずれにしても親神様は、信仰者と無神論者の隔てなく、十全の恵みを燦々と降り注いでおられます。

信仰の絶対性

信仰は〝絶対〟が前提です。

生きるか死ぬかという時、「ええと……イエス様に頼もうか、それとも仏様か……、あるいは教祖か……」などと迷っていては、全体重を預けられません。「教祖が絶対」と思うから、もたれられるのです。「たくさんある宗教の内の一つ」というのでは、腹を括れないのです。「ほほぉ、どの宗教も一理ありますなぁ」などと、呑気なことを言っておれません。

「もうあれこれ心配せず、教祖におもたれしよう。教祖、いかようにもなさってください」、教祖の前に大の字になり、すべてをお任せします。すると教祖は、待っていたかのように動いてくださいます。

つまり信仰とは、自力で何かを為し遂げるというより、自分をすっかり委ねてしまうこと。

本物の信仰

「私には劇的な回心体験がありません」と言う人も、心配ご無用。日々ささやかな喜びを祈りに重ねるのも、尊い信心生活です。「これだ」と思うものが一つでもあれば、信仰は躍動します。「親神様にもたれて通ろう」「教祖のように、人だすけに頑張るぞ」「かしもの・かりもののお働きに万謝」というように。

ある人が、いつもおたすけの心で人と接し、ひのきしんの心いっぱいに陽気に勇んで通っているとすれば、その人のその信仰は本物なのでしょう。大上段に構えずとも、日々コツコツと積み重ねる真実の心、そんな信仰を私は、目標にしています。

36 おたすけという生き方 Ⅰ

「浜の真砂は尽くるとも、世に盗人の種は尽くまじ」

石川五右衛門という大泥棒が、処刑される前に詠んだ辞世の句です。「俺を殺しても、悪事を企む輩は後を絶たないぞ」とうそぶいたのです。

確かに彼が言う通り、どんな時代になっても、悪党はいるのかも。

カンダタ

罪人たちの阿鼻叫喚が轟く地獄。

その中に、カンダタという殺人鬼がいました。あるとき彼の前に、するすると銀色の糸が垂れてきます。「しめた！　ここから出られる」

そう思ったカンダタは、糸に飛びつき登り始めます。

実はこの男、生前に一つだけ、善いことをしていました。足許のクモを踏み殺そうとしたとき、ふと、「こいつもけなげに生きている。なにも今、殺さずも」と思い直し、見逃してやりました。お釈迦様はそれを思い出し、彼に一度だけ救いのチャンスを与えたのです。

糸を登っていくカンダタが、下を見ると、数多の罪人どもが、ウジャウジャと登ってくるではありませんか。「糸が切れる」、真っ青になって彼は、怒鳴ります。「この糸は俺のものだ。下りろ」と。その瞬間、糸はプツンと切れ、カンダタは真っ逆さまに地獄の底に落ちていきました。

お釈迦様はそれを、哀しそうにご覧になっていました。

芥川龍之介の『蜘蛛の糸』です。「自分だけが」と考えると、他の者は皆、敵になります。

敵に囲まれた王様

先王を謀殺し、玉座に着いた若い王。広大な宮殿で、多くの召使いに仕えられ、欲しい物は何でも手に入ります。誰もが羨む豪奢な暮らし。

ところが、王に幸福感はありません。

「敵国の刺客が潜んでいないか、家臣が寝返らないか、暴動で民衆に処刑されないか」と、疑心暗鬼。「自分が用いたような卑劣な手口で、今度は自分が抹殺されないか」と、夜も眠れません。誰も信用できず、周囲はみんな敵。やがて心身ともに衰弱し、とうとう王は亡くなってしまいました。敵に潰される前に、自分で壊れてしまったのです。

不正を行う人は、他人も不正を行うものとの前提で、人を見ます。所謂〝ゲスの勘ぐり〟。しかし人を疑ってばかりいると、当人自身が、他人への不信と警戒で疲れ果て、厭世的になります。毎日が暗鬱です。

善意で生きていないと、人の善意が信じられなくなるのです。心の底から人を信じられたら、その信頼に応えてくれる人もでき、心の風通しがよくなり、毎日も明るくなります。

クマに襲われた旅人

二人連れの友人が旅をしています。鬱蒼とした森にさしかかった時、突然、茂みから巨大なクマが出現。先に気づいた一人は、さっと木によじ登りに身を隠します。一方、取り残された一人は、どうしていいか分からず、とにかく横たわって死んだふりをしました。

クマは死んだふりをしている男の方に、ノッシノッシと歩いてきます。そして鼻面を男の顔に近づけて、クンクン匂いを嗅ぎます。男は、もう生きた心地がしません。するとクマは、男の耳元に口を寄せ、ささやきました。「窮地（きゅうち）にある時、友人を置いて自分だけ逃げて行くような男とは、一緒に旅をしない方がいいよ」と。

二千数百年前に書かれたイソップ物語の一つです。逆境にある時に、本当の友人かどうかが試されると説いています。言い換えれば、「相手が苦しんでいる時こそ、寄り添い力になる。これが本当の友達を作る秘訣だ」と学びます。

敵

生き物は、生命維持が至上命題。生存を脅かす者は敵。生き抜くために闘うことも辞しません。

私たちは、生まれたときから、競争にさらされます。幼少時のおもちゃの取り合い、勉学における成績順位、スポーツの試合や大会、恋敵との対決、入学試験や入社試験、同僚との出世レース、会議での論戦、ビジネス戦争、権力闘争などなど。勝敗が生涯を左右します。栄冠を手にするには、前に立ちはだかる敵を倒さねばなりません。

もちろん競い合うことの意義は大。

勝利を目指し死力を尽くす充実感は、何物にも替え難く、心躍ります。「負けるものか！」という反骨精神が、窮地で踏ん張る力を培（つちか）います。ライバルとしのぎを削ることで、一人では届かない高みに到達。熾烈（しれつ）な競争が、画期的な成果を生み出します。進歩への推進力。

ただし、競争すれば勝者と敗者が生じます。勝ったときの喜びは格別。そしてやっぱり、負ければ面白くありません。プライドもズタズタに。そこに恨みや妬み、復讐心が絡まって、深刻な問題を引き起こします。

近世英国の哲学者ホッブスは、「人類は互いに狼である」と主張しました。かの大哲学者カントにして、「隣り合った人々が平和に暮らしているのは、じつは人間にとって〝自然な状態〟ではない。いつも敵意に囲まれているのが自然な状態である」、と記しています。

スマホのアプリ

心の中では、無数の想念が、猛スピードで浮上しては消えていきます。不安も期待も、高邁な志もしたたかな計算も、人を信じる気持ちも勘ぐる気持ちも、入り乱れて去来明滅。もし、人の心を読み取るアプリがあったら、怖いですね。誰かが、私に向かってスマホをかざすと、私の胸中が文字になって画面に表れ、一斉配信されたら、私は恥ずかしくて外に出られません。それを読んだ人は、私をおぞましい人面獣心の化け物として、排斥するでしょう。

もっとも教祖は、そんなアプリがなくとも私の心をお見通し。教祖は、私の陋劣卑陋な心の動きもご存じで、それでも私を見棄てず、私を抱きかかえてくださるのです。本当にありがたいと思います。

こちらも欠点の多い身。だから、人の言動に多少不純なものを見つけても、目をつむってあげましょう。相手に倫理的な完全さを求めると、友人などできません。相手の瑕疵を許せなかったら敵が増え、寛容になれたら味方が増えます。人の短所も知ってなお、その人の長所を愛するのです。

人はみな、清濁・明暗・正邪の心を併せ持つ複合物。だから、お互いの中に息づく善良な成分を、いかに活性化させるか、です。

きっと、かの石川五右衛門の人生にも、人を愛する場面があったに違いありません。極悪人カンダタでさえ、クモの命を愛おしむ瞬間があったのです。誰にも、キラリと光る純良な心があるもの。一人ひとりの純良な一角が触発し合って、世の中が明るくなります。

ガラスの破片を拾った若者

困っている人に出会ったときの反応を見れば、その人がどんな人かが分かります。

道端で苦しむ人を見て、見ぬ振りをして通り過ぎる人。普段から、「人だすけなど、甘い。善意につけ込むヤツもいる。青二才の書生論だ」と冷笑しているのです。それどころか、人の弱味につけ込んで、利益を得ようとする人さえ。

さはあれど、さはあれど。世のため人のために骨を折る、清廉な人士も必ずおられるものです。苦しむ人を見れば手を差し伸べずにはおれない、市井の人たちがいます。世の中を支えているのは、実は、無数の無名のそうした人たちです。

「あっ、こんなところにガラス瓶のかけら。危ないよ」と、砂場に落ちていた瓶の破片を拾ってゴミ箱に入れる若者。翌朝、その場所で子どもが転びます。ガラスがあったら、大けがをするところ。けれどすぐに起き上がり笑顔で駆け出します。子どもは、前日若者が危険を除去してくれたとは、知りません。ガラスの破片を拾った若者も、翌日そこで子どもが転んだことなど、知らないまま。

社会のあちこちで多くの善行があり、その善行によって多くの人が救われています。人に喜んでもらう、それは案外、簡単なのかもしれません。知らないうちに、人を幸せにしていることもあるのです。赤ちゃんは、この世に誕生した瞬間、親に無上の喜びを与えます。無邪気な笑みを浮かべただけで、親は天にも昇る心地。赤ちゃん自身は知らずとも。

ありがた迷惑

池で子どもが溺れています。「そんな危険な場所に行くから、池に落ちるんだ」と、くどくどお説教している間に、子どもは力尽きかねません。そんなときはまず行動。救命具を投げるか、一一九番に通報するか、救助技術があれば池に飛び込むか。もし教戒が必要なら、陸に引き揚げ回復を待ってから。もっとも、後悔している者に、正論をしつこく説いても、相手の心を重くするだけ。

そう、大切なのは、落ち込んでいる人に勇んでもらうこと。

飢餓で苦しむ人に、栄養価の高い食糧を届けるのは、篤行(とくぎょう)です。

しかし、成人病で悩む人に、高カロリー・高糖質のご馳走を届けるのは、酷(こく)というもの。

必要なものを、必要な時に、必要なだけ、というのがなかなか難しいのです。

「あなたの気持ちはよく分かっている」との強い思い込みが、時に相手を困らせます。先方にすれば、「ありがたいけど、鬱陶(うっとう)しい。でも、断れない……」。

たとえ家族でも、七転八倒する当人の痛みは分かりません。コンピューターのデータをあちらからこちらへと移すように、ある人の苦悩や悲しみを、別の人間の頭で正確に読み取ることはできません。その辛さは想像するしかないのです。

振り返れば、私は、独り善(よ)がりのお節介をずい分やらかしたようです。ですので、私は困っている人と出会っても、「何を、どこまですべきか？」「これをするのは、かえって迷惑か」などと、考え込みがち。そして結局、何もできずに終わることがしばしば――。ところが、妻ときたら、あれこれ考える前にもう動いています。バネ仕掛けの人形のように、パッと体が反応するようです。きっと教祖がご覧になれば、この勝負、妻の圧勝！

古代ローマ帝国の賢帝アウレーリウスは明快です。

「善い人間の在り方について論ずるのはもういい加減で切上げて、お前自身が善い人間になったらどうだ」

はい、そのように努力いたします、すみません……。

愛されるより愛すること

知らない間に、自分が誰かの敵になっていることがあります。「好かれるように」「敵をつくらぬように」と四六時中気を配るのは、疲れます。相手の目を窺(うかが)い、相手の考えに自分を合わせねばならないからです。

人から愛される秘訣は、人を愛すること。

人に味方になってもらうより、自分が人の味方になることを考えるのです。あの人に味方になってもらえるかどうかは、私は決められません。しかし、あの人の味方になることは、私が決められます。

たすけていただいた話を

教祖は、救けていただいた喜びと感謝の話を人にすることをお望みです。人をたすけた話ではありません。それは自慢話。

ローマ帝国の哲人セネカは言います。

「恩恵をほどこした者は黙っているがよい。恩恵を受けた者は語るがよい」

「真の心の優しさは、自分で自分の優しさに気づかず、名のりでようともしない」

こちらは文豪トルストイの言葉です。

そうです。せっかくの親切も、見返りを期待すると後味がよくありません。感謝されるのはオマケのようなもの。誰かの力になれたことそのものが、最大の報酬です。実は、与えたものより、より大きなものを得ているのです。骨の折れる仕事も、相手の喜ぶ顔を思い浮かべると、勇んでできるから不思議です。

人間は、人に何かをしてもらっているだけでは、勇めません。たとえば、ペットの犬や猫。彼らはべつに人間のために、食事を作ったり、掃除や洗濯をしてくれるわけではありません。それどころか、人間の方が、あれやこれやと世話をします。つまり飼い主は、ペットの世話をすることで、癒され、元気をもらうのです。

先王を放逐（ほうちく）した王のように、我が身の保全だけを考えても、辛い結末になるのがオチ。不思議なことに、自分の幸福に血眼（ちまなこ）になる人より、周りの人たちの幸福を考える人の方が、より幸福になるようです。

「あの人に喜んでもらいたい」と、心と体がフル回転するとき、その人は人として最も美しく輝きます。お化粧やエステに大金を投じるより、効果絶大。外見だけでなく、内面からきれいになるからです。

おたすけとは、人のために自分を犠牲にすることではありません。人も自分も、最高に活きる生き方です。

幸せになるのに、難しい理論も哲学もいりません。人を幸せにすれば、自分も自然に幸せになる、親神様はそのように人間をお造りくださいました。

37 おたすけという生き方 Ⅱ

年老いた旅人が、飢えて倒れています。そこに通りかかったサルとキツネとウサギ。食べ物を持ち寄り、老人をたすけようと相談します。サルは木の実を採り、キツネは魚を捕ってきました。ところがウサギは手ぶらです。「何もしてあげられない」と心痛めたウサギは、サルとキツネに小枝を集めてもらい、火を焚いてもらいます。そして炎の中に、さっと飛び込んだのです。自らの肉を老人に差し出すために――。

誰かを救うために、自らの命を差し出すというこの仏教説話に、私は衝撃を受けました。

ジャンバルジャン

牢獄から出て来たジャンバルジャンは、行く先々で冷たくあしらわれます。そんな中、教会の神父は、彼を客人として迎え入れ、食事とベッドを用意しました。

ところが彼は、翌朝、銀の食器を盗んで逃げたのです。

捕縛(ほばく)された彼と面会した神父は、咎(とが)めないばかりか、さらに銀の燭台(しょくだい)まで贈ります。憎悪と人間不信に凝り固まっていたジャンバルジャンは、驚愕(きょうがく)。激しい葛藤の末、彼は、正直な人間として生きることを神に誓いました。

ジャンバルジャンにとって、神父は初めての味方。出会いはこの時だけですが、彼の生涯を根底から変えました。今に読み継がれる、文豪ユーゴーの『レ・ミゼラブル』です。

神経をすり減らす人々

競争に疲れ、ボロボロになった人。闘いに敗れ、うずくまる人。自分に失望する、これが生気を奪います。「自分はダメだ」と思うと、本当にダメになるのです。弱気は、自身の一番弱いところを狙い澄まして攻撃してくる、いわば〝内なる敵〟。

逆境で強くなる人がいる一方、打ち砕かれる人もいるのです。こうなると、世間に対し敵意を抱く人も出てきます。

そんなとき、味方が必要です。

安心して心の武装を解き、素の自分をさらけ出せる味方が――。傷ついた自分を、エアーバッグのように丸ごと受け入れてくれる味方がいれば、自壊作用から脱出できます。

人は、自分という存在を、誰かに認められたとき、無性にうれしくなるもの。「私もまだまだ捨てたものじゃない」と、自らの価値に気づき、自身への好感を取り戻します。

そのお手伝いをするのが、おたすけ人。

敵を倒した者より、苦悩する人のために闘う人こそ、勇者です。

身の丈に応じたおたすけ

お道の先人たちは、我が身を顧(かえり)みず、おたすけに奔走されました。心打たれる尊い足跡です。

けれども現代、「そんな聖人君子のようなことは、無理。私は普通の人間、普通に暮らしたい」「自分が生きるだけで手一杯。人だすけなど、余裕のある人の道楽でしょ」と言う人も少なくありません。冒頭のウサギや神父のような真似はできないというわけです。

よろしい。確かに、自分の力を超えたあまりに高い目標を立てると、それをクリアできないばかりか、そんな自分を責めたり、自分に幻滅するかもしれません。あるいは、〝偽善者〟として生きていくか――。私自身、このジレンマにさんざん悩んできました。

人それぞれ、身の丈に応じたおたすけもあると思います。

人生どしゃぶり、激しい雨の中で立ちつくすとき、さりげなく傘をさしてくれる人。文字通り「雨天の友」です。八方塞がり、崩れそうなとき、力になってくれる友のさりげない心遣いは、涙が出るほどありがたいもの。傘を差し出した側にすれば、何でもないことです。

インドで貧しい人の救済に身を捧げたマザー・テレサは、インタビューに答え、「世界平和のためにできることですか？　家に帰って家族を愛してあげてください」「愛とは、大きな愛情をもって小さなことをすることです」と、ほほ笑まれました。

「ありがとう」のひと言、屈託ない笑顔、それだけで心底救われた経験が、私には何度もあります。

味方になりたい

「この人になんとかたすかってほしい」と念じ、おたすけに通い、おさづけを取次ぎます。おつとめをつとめて祈ります。しかし、私たちの力で人の身上を治し、もつれた事情を解決するのではありません。お働きくださるのは、あくまで親神様、教祖。

私たちができるのは、苦しむ人の味方になることです。

相手は遠くに住み、頻繁に会えないかもしれません。できることに限界があることは、重々承知。しかし、〝味方でいてあげる〟、それだけでおたすけです。

友人の実際上の援助はありがたいものです。しかし、友人が私を援助しようと考えているということ自体が、実際的な援助以上にありがたいことがあるのです。「この世のどこかで私のことを心配し、私のために祈ってくれる人がいる」、そう思えることがどれだけ心強いか。これなら、特別な能力がなくとも、足腰が弱ってもできます。

そしてもし、苦しんでいる人と共に、苦しんであげることができたら――。

人一倍、悩み苦しんだ人こそ、人の苦しみを深く理解できる人。より親身になって相手を思い、相手の支えとなれるのでしょう。

「人の力になりたい」と念じていると、たすけを必要とする人に、教祖が引き合わせてくださいます。その人を思う真心に、教祖が働いてくださいます。

そしておたすけをする側にしても、「私を必要とする人がいる」というのは、何よりの張り合いです。

「人」という漢字は、二人が支え合う姿を表します。左の人は、右の人に支えられています。もし右の人がいなければ、左の人は倒れます。同時に、右の人も、支えてあげる左の人がいなければ、倒れます。支えている人も、支えることによって支えられているのです。

帰属意識

母国や自民族を愛することは、素晴らしいこと。

しかしその祖国愛や民族愛が過熱して、ときに他国民や他民族の痛みに対して無神経になります。同朋への愛という美名のもとに、エゴがむきだしに。過剰な自己愛や身内への偏愛（へんあい）は、「かわいい」というほこりです。それが、国家や民族レベルまで拡大するのです。

こうなると、「敵から味方を守る」というより、「敵を叩きのめしたい、徹底的に苦しめたい」と、相手を痛めつけることそのものが目的になります。これがテロや戦争への導火線。

文豪ゲーテが、「人間はほんとに悪くなると、人を傷つけて喜ぶこと以外に興味を持たなくなる」と言う通り。

無防備な人間が生き残った

中世の思想家エラスムスは言います。「人間たちの生活はわけのわからない不和に満ちている。すべての人間は同じ法則によって誕生し、同じ必然性によって年をとり、そして同じ摂理によって死ぬというのに」。

お腹の皮を一枚剥（は）がせば、誰しも大差ありません。「かしもの・かりもの」の真実に目を向ければ、人種や国籍の区別は消えます。国名や民族名という名札の奥にある、人間存在の普遍的な基底部分に気づきます。

鳥や魚や動物は、パスポートや査証なしに、陸や海や空を自由に往来。飛行機からながめても、国境線や、領海・領空の色分けなど見当たりません。人間が勝手に、「ここはおれたちの土地だ」と主張し奪い合い、親神様の体である地球に線引きをしてきたのです。親神様の子ども同士が敵と味方に分かれ、憎悪をたぎらせ、殺戮をくり返してきました。人命があまりにあっけなく、むごたらしく奪われることに、慄然とします。もし人間に、相手を攻撃する暴虐な心しかなかったら、人類はとっくの昔に滅んでいたはずです。

しかし幸いにして私たちは、粗暴な闘争本能だけでなく、相手の痛みを気づかい、いたわり、力になりたいという美しい心根を有します。

人間は、魚のように泳げず、鳥のように飛べず、野獣のように強くありません。

そんな人間は、互いに協力することで、生き残ってきました。相手を威嚇する角、敵の肉をえぐる鋭い爪、獲物の息の根を止める凶暴な牙もなく、身を守る刺や毛皮すらない無防備な裸の人間。そんな人間が、今日の繁栄を築いたのは、力を寄せ合い、支え合い、たすけ合ってきたからです。

教祖は、「人を救けたら我が身が救かるのや」と、明言されました。人間が仲良く幸せに、楽しく陽気に暮らすための核心です。

ここに人類の未来がかかっています。

もし人間が、自分のことしか考えず、人のために動かなかったら、陽気ぐらしはいつまで経っても〝絵に描いた餅〟のままでしょう。

銭湯

私は、「教会って、銭湯みたいだなぁ」と思います。

銭湯に来たお客さんは、体を洗ってさっぱりし、お湯に浸かり疲れを癒します。来る時は寒さにブルブル震え、体は縮こまっていたのに、帰る時は、ポッカポカ。

しかし、お風呂屋さんは、お客さんのようにのんびりできません。浴室や脱衣場を掃除し、お湯を入れ替え、大忙し。でも人々は、そんなお風呂を楽しみに通います。

私たちも、心に寒風が吹き荒れ、打ちひしがれることがあります。そんな時、教会に参拝。

親神様と教祖に手を合わせ、胸の内をお話しし、ほこりを払ってさっぱり。そして会長さんと奥さんの笑顔に救われます。教会を出る時には、「さぁ、明日からまた頑張ろう！」と、元気を回復。教会を出るときは、来る前よりも、もっといい人間になっています。

教会の仕事は大変ですが、苦心のし甲斐があります。そんな教会が、社会に欠かせないと思います。コンピューターやロボットの時代になっても、なくならない仕事です。

教祖

銀の食器と燭台を与え、一人の男を救った神父。しかしこれは作家の創作です。ところが、その何倍もの物を施し、何倍もの人をたすけた方が実在するのです。教祖です。

また、先に引用したマザーテレサは、生前、ノーベル賞など数々の栄誉に輝きました。一方教祖は、八十九歳になられても警察に拘禁され罪人扱いです。

さらに、旅人のため自らの命を捧げたウサギ。ですがこれも架空の話です。そんなウサギがいたとは思えません。

ところが実際に命を差し出した方がおられるのです。教祖です。教祖は、世界中の人間をたすけるために、定命を二十五年も縮められました。

おたすけに生きる

世界史を形作った隠然たる原理は、富や権力や暴力かもしれません。しかしこれらは、敵をつくります。

他方、教祖は、人間の別の在り方を示されたのです。おたすけという生き方です。

「反対する者も拘引に来る者も、悉く可愛い我が子供である」「一列を一人も余さず救けたいのや」と、迫害する敵をも、大海のような慈愛に包まれました。そして、「一日でも、人一人なりと救けねば、その日は越せぬ」と、陽だまりのような温かくうららかなお心で、いそいそとおたすけ三昧の日々を楽しまれました。

ご在世当時教祖にお会いした人々は、「たとえ世界中の人間が敵になっても、教祖だけは、私の味方。この方がおられるから、どんな中でも通れる！」と、震えるような感激を覚え、まぶしいほどの希望を見出しました。

人に優しくすると、自分が優しい気持ちになります。よしんばこの世の悲惨を目にし、辛酸を味わったとしても、たすけ一条の「ひながた」があるから、私たちは奮い立ちます。
どうか今日も、誰かの力になれますように。誰かの味方になれますように。

38 二つ一つのお働き

学生時代のことです。教会の先生からある作業を頼まれ、私は尋ねました。「急ぎます？ それとも時間をかけて丁寧にした方がいいですか？」。すると先生は、「この道は急いて急かん道や」と素っ気ありません。「うーん、急げばいいのか、いけないのか、分からない」と戸惑いました。

また別の機会に私が、「原則を堅守すべきですか？ あるいは柔軟に対処すべきでしょうか？」と聞くと、先生は、「堅とう柔らこう、柔らこう堅とう、やで」と諭されました。

「これじゃ、私の問いに答えていない！　堅くなら堅く、柔らかくなら柔らかくと、はっきり言ってほしい」と憤慨しました。

二つ一つ

「あれかこれか」と、二者択一で物事を考えるのは、物事の白黒が明確になります。正しいか間違いか、右か左か、採用か却下か、一刀両断すればすっきりします。

実生活でも、二つの選択肢のうち、一方を選ばねばならないことも多々あります。人生の岐路に立ち、どちらかを決断せねばならない時。「あわよくば両方を手中に」と欲を出せば、その両方とも失う羽目になることも。「二兎追う者は一兎も得ず」、というわけです。

しかし、「二つのうち一つを選べ」と言われても、あわてて一方に飛びついてはいけないこともあります。「天と地のどちらが大事？」「手と足、犠牲にするならどっち？」「お父さんを取るか、それともお母さんか」と迫られても、軽々に決められません。一方を取れば、他方を切り捨てざるを得ません。あちらを立てればこちらが立たず、こちらを立てればあちらを見殺し。

お道では、「二つ一つ」とよく言われます。どちらか一方ではなく、両立し難い二つを両方が立つように苦心することを、望まれる時です。

「急いて急かん」ということも、急ぐことと急がないことの二つ一つです。いくら急いでも、成果を逸るあまり肝心なことを疎かにしては、一応外見上は完成しても中身がすっぽり抜け落ちた代物になることも。これでは、何のために何をしたのか分かりません。といってずるずると呑気に構えていれば、時期を逸します。一旦旬を逃せば、成るものも成りません。ここ一番という時には、ためらわず思い切って動かねばなりません。

同様に、「堅とう柔らこう、柔らこう堅とう」ということも、堅さと柔らかさの両方を疎かにせず、両者の良い所を活かし両立を図れとのお言葉。周囲の雑音や誘惑にぐらぐら揺れず、困難に負けずに信念を貫徹、そうした堅さは望まれます。しかし、堅さが昂じて頑迷固陋に陥れば、危険。強情で独断的になって、ぶち壊してしまうのも人間だからです。人の言葉に耳を傾け、融通無碍に対応する柔軟さが必要。もっとも、無定見に妥協を重ね、原則をなし崩しにしては、何事も成し得ません。

時と場合によって、「堅とう柔らこう、柔らこう堅とう」「急いて急かん」、その両者を配慮し行動するのです。

物事の二面性

物事の表と裏、右と左、上と下、内と外では、違った見え方をするものがあります。一つの事柄に二つの顔。

例えば、ボールに光を投射、光源から見れば白く見えます。しかし裏は、影で黒くなります。片側を見ただけで、「この球は白か黒か」と断定するのは早計。

ドラフトで指名され入団が決まったプロ野球の新人選手。スポーツ新聞のトップを華やかに飾ります。その陰で、球団から戦力外通告を受け、ひっそりと去る選手もいます。新人が入団するということは、ほぼ同数の選手がチームを去るということ。退団者がいるから、新しい選手が入団できます。入退団という人間ドラマの表裏、どちら側を見るかで、光と影が分かれます。

何もスポーツに限りません。受験の合否や仕事の競合、恋愛での恋敵との競争。勝者という光の部分だけを見ては、全体像を見誤ります。その陰に、勝負に負けて唇(くちびる)を噛(か)んでいる人もいるからです。

身辺を見回すと、随所にこのような二つ一つの例。

朝から篠(しの)突く雨。日照りが続いた農家は大喜びです。ところが、お父さんとのナイター観戦を楽しみしていた子供は、試合が中止になってションボリ。同じ雨が、干天の慈雨(じう)になったり、無情の雨になったり。

「あいつはいい奴」「ダメな奴」と、一面だけを見て全人格を断定するのは不公平。例えば、行動力がないと誹(そし)られる人、換言すれば熟考タイプで慎重な人です。また、軽挙で無謀と貶(けな)される人、見方を変えれば果敢で決断の早い人です。用いる物差し次第で、人物評価も変わります。

ある人はこの世界を「でたらめで不条理」と唾棄(だき)し、他の人は「隅々(すみずみ)まで秩序と調和が行き渡っている」と賛嘆(さんたん)します。どちらが正しくて、どちらが間違いだと、単純には言い難し。

とりわけ善悪の基準。勧善懲悪(かんぜんちょうあく)のドラマでしばしば、悪者は徹頭徹尾(てっとうてつび)悪く、主人公は完壁に正しい人に描かれます。善悪一目瞭然。しかし現実は違います。誰のどこにスポットを当てるかで、善悪の判断が変わります。見る人の立ち位置で、善悪が逆転することもしばしば。

その典型が戦争です。多くの敵兵を倒す戦士は、味方からは祖国の英雄。ところが、相手側にすれば、愛しい夫や我が子を殺戮した許し難い卑劣漢です。

禍が福に、福が禍に

福が禍に、禍が福になることもあります。「禍福はあざなえる縄の如し」との諺通り。身に降りかかる困難を、「災厄」と悲嘆し自暴自棄になる人がいます。一方それを、「力を蓄える時」「新たな道が生まれる時」と前を向く人もいます。実際、人が飛躍するのは逆境の時。苦難が、過去から引きずる束縛を粉砕、自身の気根を磨き、人格を高めます。ふしあらばこそ、開ける道。一見禍と見えるふしを、そこから芽が吹く福にする、信仰の奇跡。ふしに強いのがお道の真骨頂です

反対に、成功の要因が衰退の原因になることも。巨大な体躯で地上を制覇した恐竜が、

その大きさ故に滅んだようにです。「好事魔多し」との警句通りです。おてふりで〝見る〟ことを表す場合、顔前で手を返し、手の平と甲を順次見る動作をすることがあります。〝見る〟とは表面を一瞥(いちべつ)するだけでは不充分で、手の平と甲で表された内と外、表と裏、二つ一つの両方を見るべき、と学びます。

拮抗する二つの力

様々な場面で、対極にあるものの組み合わせ、無数の二つ一つを発見します。例えば、天と地、男と女、縦と横、往と複、清と濁、苦と楽、奇数と偶数、プラスとマイナス、得と損、需要と供給、集中と拡散、促進と抑制、肯定と否定、積極性と消極性、受動と能動、失敗と成功、原因と結果、賛成と反対、従順と反抗、寛容と狭量、生と死、好きと嫌い、広いと狭い、太いと細い、押すと引く、遅いと早い、厚いと薄い、熱いと冷たい、与えると貰う、勝ちと負け、老若、新旧、終始、緩急、増減、開閉、深浅、動静、内外、乾湿、硬軟、昇降、濃淡、凸凹、浮沈、進退、有無、前後、干満、曲直、善悪、貧富、難易、自他、虚実、正誤、貸借、売買、苦楽、攻守、害益、公私、巧拙、当落、盛衰、単複、正負、陰陽等々、きりがないのでこれくらいにしておきます。

二つが揃ってこそ

二つでセットのものは、どちらか一方を欠くと、もう片方も成立しません。夫は妻がいてはじめて夫たりえます。妻なしに夫という立場はありえません。同様に、子がいるから親で、子がなければ親とは言いません。

男だけでは男の役割は果たせず、女だけでは女の役割を果たせません。親なしに子は誕生せず、子の存在もありません。表があって裏があり、裏があるから表です。低いものなしに高いものはありません。比べるものがありそれとの比較で、高低、上下、寒暖、大小、長短、強弱、軽重、明暗、美醜が生じます。昼と夜があって、昼でない時間を夜と呼びます。昼がなく夜しかなければ、夜という語は不要。

必ずしも、二律背反や二者択一ではありません。二つ一つのものは互いに反発しても、双方各々に意味と役割があり、両者が相互に機能してはじめて一つの事を為すのです。

自動車は、アクセルなしに走らず、止まったままなら、ただの金属の塊（かたまり）。しかし、アクセルはあってもブレーキがなければ、物や人に衝突するまで走り続けます。走る凶器です。駆動装置と制御装置が装備されてこそ、自動車は輸送手段として機能を発揮します。

日本刀は、柔らかい鉄と堅い鉄を混合して作るそうです。柔らかい鉄は変形し易くても折れにくく、堅い鉄は変形し難くても折れやすいといいます。硬軟それぞれの鉄を適度な割合で合成すると、変形しにくく折れにくいという、高品質の日本刀になります。まさに、「二つ一つ」の為せる業。

アメリカには、「健康を保てるほど清潔で、親しみ易いほど汚れている家がいい」との言葉があります。不潔で不衛生はいけませんが、かといって、いつも完璧に清掃が行き届き塵一つない家というのも、友人にすれば、却って居心地が悪く、敷居が高くなって訪問しにくいもの。気軽に入っていけるくらいに散らかっている方が親近感がわき、訪ねやすいという意味です。潔癖で清潔過ぎる住家と、だらしなく穢い住家、どちらかに偏らない方がいいみたい。

性格

例えば、冷静さと情熱。冷静沈着さは、的確な処断のために欠かせません。しかし過ぎると、人を冷酷非情に断罪しがち。また情熱は、人を駆り立て行動を起こす必須の内燃機関。とはいえ度を越すと、人をヒステリックにし、思慮分別を奪います。理性と熱情、二つが揃って健全な暮らし。

神経質過ぎるのも、無神経過ぎるのも、生きづらいもの。また、人の目を気にしすぎるのも、まったく無視するのも問題です。人が自分をどう見ているかばかりを気に病み、自縄自縛、心を病む人もいます。これは負の側面。かと言って、人の目をまったく気にせず、傍若無人に振る舞うのも弊害あり。人の目を気にするというのは、実は、ひとりよがりな暴走を食い止める抑止力。「そんなことをすれば人は何と言うだろう」、自分の中に第三者の目を持てば、過信による軽挙を思いとどまります。

あきらめるか、あきらめないかの決断も、時と場合次第。周囲の反対や種々の障害にへこたれず難題克服、夢をあきらめず追い続け、最後に実現する人がいます。妥協せず初志をあきらめない粘り強さが功を奏するケース。一方、夢を断念すべき時もあります。頑張って頑張ってそれでも駄目なら、その時は現実を直視、きっぱり思いを断ち切るべき場面もあります。あきめきれず時期を逸しずるずるとダメージ拡大、状況悪化。見切りをつける潔さ、撤退する勇気も、時には必要です。

さらに考え過ぎるのも、考え足りないのも問題です。ピアノのコンクール。開演まで不安で、「うまく指が動くかなぁ」「失敗したらどうしよう」と、あれこれ考えると余計緊張し指が強張(こわば)って、本番でミスしてしまうもの。考えなければ簡単にできるのに。考え過ぎのマイナス面。

ところが、後先を考えず、短慮が原因で失敗することも。「これは便利だ」、広告の文句に飛びついて不急不要のグッズを衝動買い。買ってみると結局一回も使わず押し入れで埃をかぶったまま。家中、不必要なものだらけ（我が家がまさにこれ）。よく検討してからでもよかったのに。

あれかこれか、どちらが良いと即断できません。正負両面あるものは、両者の正の部分を活かす二つ一つの道を検討すべし。

伝統と変革

〝昔のまま〟を愛おしむ人は変えないことを求めます。〝より良きもの〟を目指す人は、現状を変えようとします。現行体制から恩恵を享受する人はその維持に、不満を抱く人は変革を望みます。歴史は、保守勢力と新興勢力の角逐（かくちく）の場。

改革運動が過激化すると、社会は紛乱に陥ります。一方、伝統的な価値観を受け継ぐことは、社会を安定させます。しかし過度の安定は停滞を招き、人心を腐敗させます。伝統に固執、情勢変化に背を向けると、未来は閉ざされます。伝統と変革、この相剋（そうこく）が時代を作ってきました。

人はまた、変わるものの中で、変わらぬものに憧れます。変転し続ける外観の底流には、変移しない万古不易（ばんこふえき）の天理が脈打ちます。変化と不変の二つ一つ。

理想と現実

理想は、人を昂揚（こうよう）させ、人品を高めます。困難に出遭う時、信念が人を支えます。また民衆を動かし、社会を動かすには、理念や大義が不可欠。

ところが理想家は、とかく夢想的・観念的になりがちです。頭に描く理想に酔いしれ、現実を見下す尊大さが潜みます。理想という物差しで計ると、大抵の現実は欠陥だらけに映るからです。理想家は、ともすれば正論を振りかざして人を断罪、教条的になり人の本音を封殺することさえ。

他方、現実家は抽象的な精神論に走らず、現実に対して手堅い対応を試みます。現実から導く結論も慎ましく、現状に対して受容的です。もっとも現実派は、大局的なビジョンを持つことが苦手で、対症法に終始するきらいがあり、第三者には目指すところが見えにくいという難点があります。

理想家の心と現実家の目という、二つ一つが備わねば、大きな事業は成功しません。

共通点と相違点

人間は、親神様を親と仰ぐ兄弟姉妹。陽気ぐらしの元のいんねんを共有する存在。身体の基本構造も同じです。同時に、親子でも夫婦でも兄弟姉妹でも、心はそれぞれ違います。

心の自由を有し、自身の意思で行動する存在です。つまり私たちは、人間としての共通基盤と、個々の独自性を具えています。同じ人間だから、喜怒哀楽を分かち合えます。また、異なる天分・徳分を持つから、愛し尊敬し合えるのです。

考え、好み、価値観は、みんな違います。世界は多様性に満ちています。この違いを無視して、自分の尺度を相手に押しつけようとすると、摩擦が起こります。ただ、お互いの共通項を無視し、相手を異質なものとして排除排斥するのも、怨恨を残します。

人と自分の通底部分と相違部分、それを受け入れて、良好な対人関係が成立します。

自由と統制

人間は、本来的に自由で多様な存在。個々の自由が確保されてこそ、新たなものが誕生し発展します。

もっとも、「自由だから何をしてもよい」のではありません。自由の名の下、好き放題が横行すれば、治安は乱れ、公序良俗が崩れます。

複数の人間が快適に暮らすには、秩序や規律が不可欠です。「集合時間に遅れるな」

「約束は守れ」「赤信号の時は横断禁止」式の、申し合わせや規則による自由の規制もやむを得ません。しかしそのための統制も度が過ぎて、恐怖と力で服従を強要し人権を奪うようでは、悲惨です。

どこまで統制し、どこまで自由か、人類の課題の一つです。

自信喪失と自信過剰

自らを厳しく見つめる内省は、人格を磨き、信用を高めます。しかしそれも過ぎると、自責や呵責（かしゃく）の念となり、自己否定や自己嫌悪に陥（おちい）りかねません。

自分を肯定する気持ちはとても大切です。自らの存在を喜び満足することは、慶賀すべきこと。自負や誇りが、活力を与え輝かせます。

「俺はダメな人間だ」と自分を嫌悪し卑（いや）しめてどうして陽気ぐらしが叶うでしょう。謙虚も過ぎると卑屈（ひくつ）です。自負心をなくし、気力まで喪失する人もいます。

ところが自尊心を野放しにすると見る間に肥大化、こうまんです。いくら地位やお金があっても、尊大で高圧的な人物の許から、人は去ります。こうまんは、人を孤独にします。

自分への過大評価も過小評価も、横柄も卑下も、自信過剰も自信喪失も、問題の火種。但し、私たちは殊の外増長し易いので、特にこうまんをお戒めくださいます。

自然界や人体の二つ一つ

自然界は、様々な二つ一つに彩られます。陽が昇り陽が沈みます。寒い冬が訪れ、暑い夏が巡ってきます。月が満ち月が欠け、潮が満ち潮が引きます。上空の水分は、雨になって地上に降り注ぎ、蒸発して再び天空に還ります。生命が誕生しやがて死を迎えます。

体内でも、至るところに二つ一つ。栄養を摂取し不要物を排泄、息を吸って酸素吸入、息を吐いて二酸化炭素排出、筋肉が収縮し弛緩して手足が動きます。血液が送り出され心臓に戻って新陳代謝。朝起き夜眠るという、活動と休息のリズム。

それら二つ一つのバランスが鍵。食べなければ生きていけませんが、食べ過ぎると体を壊します。脈拍や呼吸も早過ぎても遅過ぎても問題です。体温や血圧も高過ぎても低過ぎても、心配です。適度の運動は健康を促進しますが、過度の運動は体を痛めます。身体諸機能の均衡が取れての健康、バランスが乱れれば病気になります。薬も適量を摂取すれば治療に効果がありますが、摂り過ぎると毒になります。

気温が暑すぎても寒すぎても、人間は生存できません。雨が降らなくては作物ができませんが、降りすぎても土砂災害を引き起こします。生命力が横溢しているときは、野放図を戒め抑制すべきですが、逆に気力が萎えているときは、活力を刺激し鼓舞すべき。料理の味が薄すぎても濃すぎても、おいしくありません。お湯が熱すぎてもぬるすぎても入浴を楽しめません。暮らしの様々な場面で、バランスの良し悪しが問われます。

かぐらづとめ

かぐらづとめでは、人間創造や生命誕生をはじめ、森羅万象にわたる親神様の十全のお働きが、つとめ人衆の配置や手振りで表されます。とりわけ、かんろだいを挟んで向かい合う神名は相互補完的で、二つ一つの関係にあります。

【くにとこたちのみことと、をもたりのみこと】

月や水と教えられるくにとこたちのみことは、日と火のをもたりのみことと、向かい合います。夜を照らすお月様と昼間に輝くお日様。この月と日の動きで一日ができ、四季や一年ができます。

また、水と熱の組み合わせ。水分がなくなり干涸らび、温もりが消え冷たい体、生命の消えた亡骸です。あるいは、上から下へと流れる水と、下から上に煽る火。水が過ぎれば火を消し、火が過ぎれば水を蒸発させます。

さらに、「天の月様、地の日様」と言われます。大地を包み恵みを降り注ぐ天。豊穣なる土壌で生命を育む大地。地上のあらゆる生き物が、

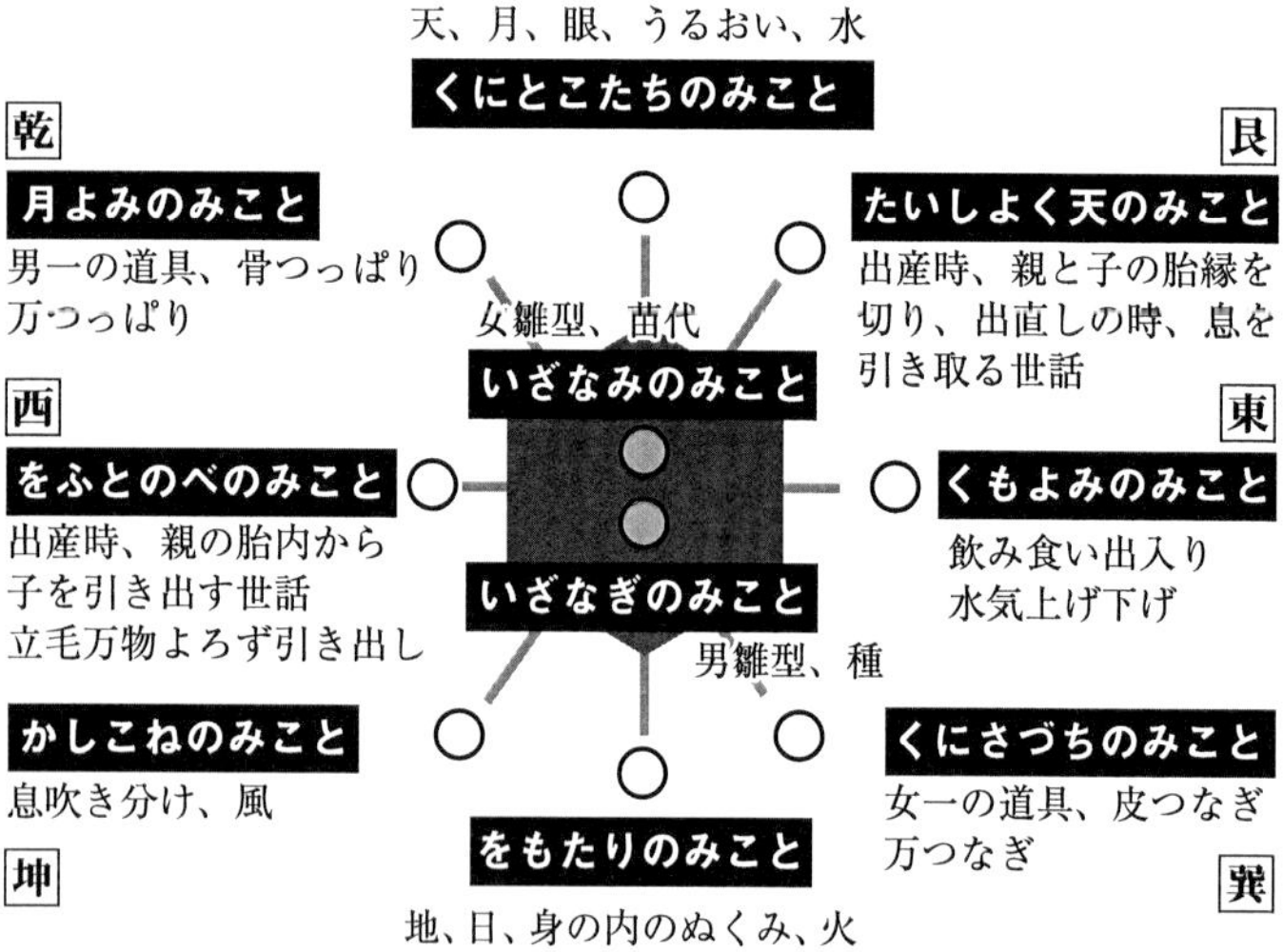

天、月、眼、うるおい、水
くにとこたちのみこと

乾
月よみのみこと
男一の道具、骨つっぱり
万つっぱり

艮
たいしよく天のみこと
出産時、親と子の胎縁を切り、出直しの時、息を引き取る世話

女雛型、苗代
いざなみのみこと

いざなぎのみこと
男雛型、種

西
をふとのべのみこと
出産時、親の胎内から子を引き出す世話
立毛万物よろず引き出し

東
くもよみのみこと
飲み食い出入り
水気上げ下げ

坤
かしこねのみこと
息吹き分け、風

巽
くにさづちのみこと
女一の道具、皮つなぎ
万つなぎ

をもたりのみこと
地、日、身の内のぬくみ、火

月日親神様の懐（ふところ）、天と地に抱かれ生を享受しています。厳正な理と、温かい情愛が一つとなって、私たちをお守りくださいます。

【月よみのみことと、くにさづちのみこと】

月よみのみことは、くにさづちのみことと向かい合います。男一の道具と女一の道具の一対。また月よみのみことは骨突っ張り、くにさづちのみことは皮つなぎの守護ですが、体躯を支える骨格と、体表を覆う皮膚の組み合わせです。

日常生活では、突っ張るばかりでは周囲と軋轢を生みます。配慮を欠かさずつなぐことが大切。もっとも周りを慮（おもんぱか）ってばかりだと、する事なす事が中途半端になります。雑音に惑わされず初志を貫徹することも大事。つっぱりにはつなぎが、つなぎにはつっぱりがパートナー。

【くもよみのみことと、をふとのべのみこと】

飲み食い出入りという栄養摂取と排泄を司るくもよみのみことは、引き出しという発芽や発育を司るをふとのべのみことと向かい合います。新陳代謝と成育の組み合わせです。また農作物に代表される食糧と、それを食して消化吸収する働きの対でもあります。そして農作物の収穫は、水気上げ下げという天候の守護があってこそ。

【かしこねのみことと、たいしよく天のみこと】

息を司るかしこねのみことは、胎縁を切り息を引き取るたいしよく天のみことと相対します。息をすることと息を引き取ること、すなわち息一つと言われる命と出直しに関わります。また、通気と遮断、息を通わすことと交友を絶つこと、意思の疎通と断絶の二つ一つ。

【いざなぎのみことと、いざなみのみこと】

男雛型・種と、女雛型・苗代のお働きが、向かい合います。この二つの精妙な作用により、夫婦の営みがあり、精子と卵子が出合い、新たな生命が誕生します。子は単なる親の複製ではなく、両親からそれぞれの遺伝子を受け継ぎ、その融合により新たな可能性の扉を開きます。そして男女関係の善し悪しは、人生の明暗を分ける一大事。

かぐらづとめは、各々が各々を必要とし、補い合い、支え合い、活かし合う、一手一つの理想形。十の神名が拮抗し連携して特性を存分に発揮、人智を超えた大いなるご守護が創出されます。

ておどりでも、二歩前に進み二歩後ろに戻り、右足を踏み左足を踏み、右に手を投げ左に投げ、右に振り左に振り、右側を押さえ左側を押さえるという、二つ一つの動きで、お話の内容が展開発展していきます。

慎み

心のほこりは、心身のバランスを乱す元凶。就中激しい好き嫌いは、バランスを崩す原因。とりわけ嫌いなこと以上に、好きなこと。例えば、飲酒、ギャンブル、情事など。好きなだけに、衝動に抗えず、翻弄されます。無理を重ね健康を害し、人を裏切り信用を失い、家庭も人生も無惨な姿に。ちょうど、重心が前後左右に偏り平衡を失った舟が、転覆するようなものです。

そこで、自制を求められます。「慎み」です。慎むことが、良きバランスを保つ鍵です。

慎みは禁止ではありません。教祖は、飲酒、食事、男女の関係についても、戒律や禁欲を説かれません。教祖は、人間誰しも欲があることはご存じです。そもそもそのように創られたのは親神様ですから。欲があるからこそ、現状に甘んじることなく、夢をあきらめず、積極的に困難にも立ち向かいます。しかし人間は、すぐ図に乗り高慢になったり、欲望に踊らされ失敗することが多いので、慎むように仰せられるのです。

慎むといっても、何をどこまで許されるか、どこまで控えるか、指示はありません。その時その状況下、自分にとっての最適値を、自分で判断する他ないのです。

緩め過ぎず、かと言って締め過ぎず、恵みを恵みとしてありがたく頂戴しながらも、欲に溺れず、自らを律し節度を保って生きる〝慎みの生き方〟、凜として美しいもの。

強くて広い信仰

強くても、頑なで狭量な信仰があります。一方、知見に富んでも、ここ一番腰が引け世智に流れる弱い信仰もあります。私自身は、〝どちらが〟というより、その二つ一つ、つまり〝広くて強い信仰〟に憧れます。偏狭を脱し広やかで風通しのよい信仰、しかも時流に堕せず揺るがない強い信仰。まさに、「堅う、柔らこう」の信仰です。

複眼的思考

ある主張を聞き、「なるほど」と賛同。けれども反論を聞けば「それもそうだ」と納得。別の光を当てると、別の様相を呈するのです。正面から眺めただけでは、知る由もない裏面の諸相。しかし、それとて物事を構成する真実の一部。

片方の言い分しか聞かないと、「これが絶対正しい」となり、「他方は完全に間違い」となります。〝絶対〟を謳う主義主張は、他の見解を拒否します。排他的になるのです。

しかし、二つ一つの観点を保有すると、自分がこうだと思っても他者には他者の違った見方がある、と寛大になります。複眼的な視点、より成熟した見地です。仮にどちらかを選ぶとしても、功罪、是非の両面が視野にあれば、選択に深さが加わり、一方的に飛びついた決定とでは、その後が異なるでしょう。

相反する「甲」と「乙」がまともにぶつかると、互いに潰し合ってゼロかマイナスになりかねません。しかし相克する二つがうまく噛み合えば、二倍どころか三倍、四倍、五倍と無限に可能性は膨らむのです。相殺(そうさい)ではなく相乗です。

振り子とやじろべえ

いつも、二極の中間点が良いというわけではありません。刻一刻と移り変わる情勢により、適正ポイントも変動します。右に傾いた船なら、左に重心を移すべきですし、左に傾いた船は右に重心を移動すべきです。

振り子は、頂点まで振れると、今度は逆方向の動きが生じます。そして勢い余って中間点を超え、対極まで振れます。こうして振り子は、両極を往ったり来たり。社会も人生も極端に走る時、アンバランスを是正する反動が起こります。人も世界も一所(ひとところ)にじっとしていません。絶えず落ち着くべき調和点を探って動きます。均整に向かう天然自然の調整力です。

バランス感覚は、人によって様々。一瞬一瞬その人なりの権衡(けんこう)を求め、やじろべえのように、釣合を計りながら生きています。信じるか疑うか、待つか動くか、残すか捨てるか、言うか言わないか、二つ一つの間を綱渡り。その舵取りが、人生の妙味。

そして調和が整う瞬間、陽気が立ち上(のぼ)ります。

陽気や勇みを表す手振りは、二つ一つの躍動を連想するいさみの手。この世の無数の二つ一つを象徴するように、手の平と手の甲が交互に翻り、上下に動きます。裏表、上昇・下降の動作で、自然や社会や家庭や心身の二つ一つによる陽気と勇みが、湧き起こります。

お道の教え

一般にも、「過ぎたるは及ばざるが如し」「何事もほどほどに」といった警句や中庸(ちゅうよう)思想があります。

しかし、教祖の教えは〝処世術〟の次元ではありません。この世と人間の本質のお話です。しかも、「中間点に留まれ」という静止的なものではなく、二つ一つの競合と協調によるダイナミックな生成発展の原理が語られるのです。

冒頭、「お道の教えが中途半端な感じがした」と、学生時代の感想を述べました。しかしお道の教えは、〝あれかこれか〟という排他的なものではありません。決して〝中途半端〟なのではなく、極端に流れる愚を制し、二つ一つの両者を視野に入れ両者とも活きる道を探る奥深い教えなのです。

二つ一つのお働きに満ちているこの世界

もし世界が一元的な仕組みなら、一方向からの震動には強くても、別の角度からの衝撃には脆弱です。しかし実際は、無数の二つ一つが幾層幾重にも組み編まれ、縦横無尽に交錯し稼働しています。ですので、どんな方向にも変幻自在に対応でき、あらゆる方面への展開・発展の芽を擁しているのです。

宇宙や生命に思いを巡らせば、その精緻で壮大な親神様のご守護に驚嘆せずにはおれません。ミクロからマクロに至る二つ一つの調和の諸相、至妙なる天理に目を見張らずにはおられません。

「ほん何でもない百姓家の者、何にも知らん女一人。何でもない者や。それだめの教を説くという処の理を聞き分け。何処へ見に行ったでなし、何習うたやなし、女の処入り込んで理を弘める処、よう聞き分けてくれ」

（おさしづ　明治21年1月8日）

教祖の教え。それは、この世の人間の根本を、やさしく簡潔に説かれたもの。人間の知恵や力では到底作り出せない、普遍的で根源的なものです。

※『みちのとも』天理教道友社　２０１５年１月号に掲載したものに、加筆修正しました。

あとがき

「人間って何？」「宗教って何？」「天理教って何？」

私は十代半ばから、いつも問い続けてきました。それは今も続いています。気がつけばこれらの問いは、私の生涯のテーマになっていました。

哲学は、問うことからスタートします。「人間とは？」「善とは？　悪とは？」などと問い、反論の余地のない答えを求めて、思索を積み上げます。

ところが教祖は、いきなり結論から入られるのです。理屈を飛び越え、「こうすればたすかりますよ」と、絶対的な解答を示されます。そしてその通り信じ行うと、実際にたすかるのです。教えを素直に受け入れることで、一気に悟りの高みまで跳躍します。それが信仰。

ですが私ときたら、やっぱり問いと答えの間が言葉でつながらないと、気がおさまらないのです。そのため、ずい分遠回りをしました。行きつ戻りつ回り道をしたあげく、今では、「こんな信仰の形があってもいい」と開き直って、自分と仲直りすることに決めました。

そんな私が、あれこれ思いを巡らせ、試行錯誤したことを、一冊の本にまとめました。

読み返せば、文章が断定的でお説教口調であることが気になります。「何を偉そうに。お前に何が分かる」と、お叱りを受けるかもしれません。でも、私の胸中でのやりとりを文字にすると、このようになりました。「こんなことを考えているヤツがいるんだ」と、面白可笑(おもしろおか)しく読んでいただければありがたく存じます。

『陽気』誌に連載していただいた「あんな生き方、こんな生き方」という信仰随筆に加筆し、新たに十一編を加えて編集しました。「私の信仰生活の総決算になった」と、喜びもひとしおです。

親身になり全力で支えてくださった養徳社社長冨松幹禎先生、『陽気』連載中お世話になった長谷川薫氏と髙山哲夫氏、編集していただいた石橋睦也氏、魅力的な表紙絵を描いてくれた同級生の榎森彰子さんには、どれほど感謝しても感謝しきれません。そして私の人生をいつも明るく温かなものにしてくれる妻よしえの後押しがなければ、これは叶いませんでした。

もし、この本の一節が幸運にも、どなたかの心にぴったりはまるピースとなり、誰かの心の琴線に触れてきれいな音色を奏でれば、どんなに、どんなに、うれしいことでしょう。

２０２０年5月

平野 知三

著者 Profile

平野 知三（ひらの・ともぞう）

天理教教会本部 准員
昭和 30 年 6 月 8 日生まれ
天理大学宗教学科卒業
米国ウィスコンシン大学　オークレア校卒業（哲学専攻）
アメリカ伝道庁書記、教化育成部企画課長
三日講習課長、講習課長
海外部翻訳課長などを歴任

心のおもちゃ箱

日々を彩る信仰エッセー 38 話

著　者　平野知三
発行者　冨松幹禎
発行日　2020 年 7 月 15 日　初版第一刷発行
　　　　2021 年 6 月 1 日　 同 第二刷発行
発行所　図書出版 養徳社
　　　　〒632-0016　天理市川原城町 388
　　　　TEL：0743－62－5575

印刷・製本（株）天啓

ISBN978－4－8426－0127－4
JASRAC 出 2005099－001